Servicios socioculturales y a la comunidad

**Módulo profesional (Nivel 2 ECP)**

Grado D
CFGM Atención a personas en
situación de dependencia

Grado C
CP Atención sociosanitaria a personas en situación
de dependencia en instituciones sociales
CP Atención sociosanitaria a personas en el domicilio

# Atención higiénica

**ALTAMAR**

# Atención higiénica

© 2025, Arturo Ortega Pérez

© 2025, Editorial Altamar, S.L.

ISBN: 978-84-19780-51-5
Depósito Legal: B 2959-2025

| | |
|---|---|
| Diseño de cubierta: | **Oriol Miró Genovart** |
| Fotografía de cubierta: | **iStock.com/nito100** |
| Diseño de interiores: | **Toni Quesada** |
| Fotografías: | **Depositphoto, Istockphoto, Fondo Altamar** |
| Composición: | **Cristina Payà Sanson** |
| Impreso en: | **Sagrafic, S.L.** |

Impreso en España - *Printed in Spain*

# Altamar, un proyecto integrado y versátil

Lee detenidamente las instrucciones de uso de este manual.

**Libro impreso**
+
**Plataforma Digital Educativa**
+
**Asistente de Inteligencia Artificial**

## EN ESTE LIBRO

**Itinerario Contenidos**
distribuido en Unidades de Trabajo

**Actividades**
que se pueden completar digitalmente en el
**Itinerario Actividades** de la Plataforma Digital Educativa

Conexión con las Tareas del
**Itinerario por Retos colaborativos** en la Plataforma Digital Educativa

Recursos que se despliegan en el
**Itinerario Multimedia** de la Plataforma Digital Educativa

## Activa tu acceso a nuestra
## PLATAFORMA DIGITAL EDUCATIVA

**👤 Kai**
Tu asistente virtual con Inteligencia Artificial para resolver dudas y hacer actividades de repaso

### Itinerario Contenidos

### Itinerario por Retos

Solo accesible si te vinculas con tu docente acreditado por Altamar.

### Itinerario Actividades

Solo accesible si te vinculas con tu docente acreditado por Altamar.

### Itinerario Multimedia

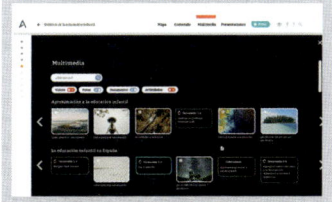

### Itinerario Mapa

### Itinerario Presentaciones

Solo accesible si te vinculas con tu docente acreditado por Altamar.

---

 ¿Qué sabes de...? Test inicial y video resumen

 Documento adicional

 Minivideos

 Interactivo

 Galería de fotos

 Video o animación

 Galería de videos

 Enlace

 Destrezas de pensamiento

 # Índice

# Organización de las actividades de higiene en atención a la dependencia

## ¿Qué sabes de...?

- ¿Sabes cómo influye la higiene en la salud de las personas en situación de dependencia?
- ¿Sabes qué es la higiene ambiental?
- ¿Sabes cómo se planifica la higiene personal?
- ¿Sabes qué es un plan de cuidados individualizado?

★ **RETO 1**
La calidad en la prestación de actividades de higiene

1. Las actividades de higiene en atención a la dependencia

2. Organización de la higiene ambiental

# Organización de las actividades de higiene en atención a la dependencia

3. Organización de la higiene personal

4. Ejecución de las actividades de higiene

# 1.1. Las actividades de higiene en atención a la dependencia

> Las **actividades de higiene** son acciones que se llevan a cabo para asegurar la limpieza y el cuidado personal y del entorno, y prevenir enfermedades e infecciones.

Desde la perspectiva de la atención bio-psico-social, las actividades de higiene tienen una incidencia positiva sobre los tres ámbitos de la persona:

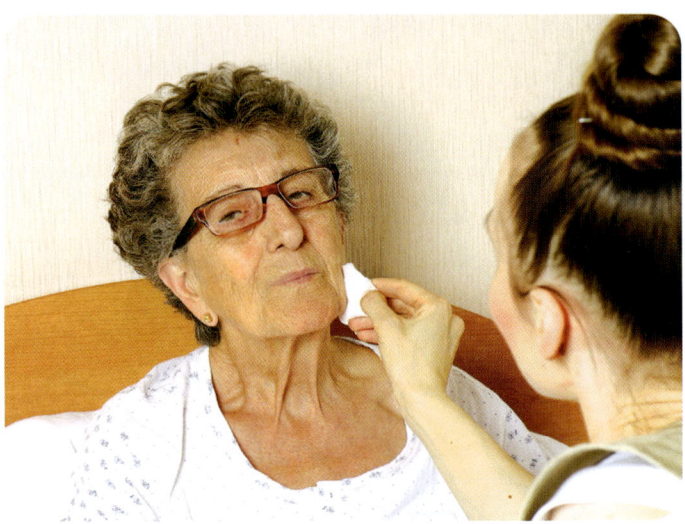

**Fig. 1.1.** La higiene tiene efectos positivos en todos los ámbitos de la persona.

- En el **ámbito biológico**. Una buena higiene personal y del entorno es esencial para preservar la salud y prevenir la aparición de infecciones.

- En el **ámbito psicológico**. La persona se siente más cómoda y relajada cuando está limpia y su entorno reúne unas condiciones adecuadas de higiene y confort.

- En el **ámbito social**. Un entorno agradable y una correcta higiene personal facilitan las relaciones sociales y mejoran la autoestima.

De esta manera, una correcta higiene es esencial para preservar la salud, pero también ayuda a mejorar el bienestar, la autoestima y las relaciones sociales.

Para que estos beneficios sean efectivos, será esencial que el entorno en el que se apliquen las actividades de *higiene personal* reúna unas condiciones de limpieza, salubridad y confort adecuadas (*higiene ambiental*).

## 1.1.1. Apoyos en la higiene en atención a la dependencia

Las personas en situación de dependencia requerirán, en muchos casos, ayudas o apoyos para atender sus necesidades de higiene.

> Los **apoyos en la higiene** son todas aquellas ayudas que se prestan a personas que requieren ayuda para llevar a cabo sus actividades de higiene personal.

La intensidad de los apoyos dependerá de las necesidades de cada persona, pero suelen establecerse estas categorías:

- **Prevención**. La persona es plenamente independiente en la realización de estas tareas. Las actuaciones irán encaminadas a que mantenga estos hábitos y a detectar si empieza a descuidarlos.

- **Supervisión**. La persona realiza las actividades por ella misma, pero es conveniente que alguien esté con ella para su seguridad o para ofrecerle pequeñas ayudas: abrir el grifo, acercarle la toalla, etc.

- **De apoyo limitado**. El o la profesional realiza las actividades, pero la persona colabora en la medida que puede, por ejemplo, para realizar el lavado de la zona perineal, el lavado de las manos o de las zonas a las que llega sin dificultad.

**¡Tenlo en cuenta!**

En atención a la dependencia, las **intervenciones asistenciales** son las que realiza directamente el personal supliendo la actividad que la persona usuaria no puede realizar. En cambio, en las **intervenciones educativas**, el personal promueve que sea la persona quien la ejecute, pero le proporciona los apoyos (instructivos, motivadores o de ayuda) que necesita.

**Tarea 1**
Las necesidades
de Marta

● **De apoyo intenso**. La persona tiene muy poca o ninguna capacidad de colaborar, por lo que las actividades las realiza el personal de atención. Esta intervención es eminentemente **asistencial**.

En cualquiera de las categorías, deberemos promover que la persona colabore en el nivel que le permitan sus capacidades, con el objetivo de que mantenga la máxima independencia posible. Esta manera de actuar prioriza el componente **educativo** en la intervención.

## 1.1.2. Entornos de realización

Desde la perspectiva del lugar y las condiciones en la prestación de los apoyos, las actividades de higiene se pueden dar en tres entornos:

● **Centros residenciales**. En estos centros, todo lo relacionado con la aplicación de las actividades de higiene, como parte de la atención integral, está previsto y planificado, y los procedimientos que aplica el personal están protocolizados.

Los servicios de
atención domiciliaria

Normalmente se trabaja en entornos (espacios, mobiliario, baños accesibles, condiciones ambientales, etc.) que están perfectamente acondicionados para realizar las distintas tareas de asistencia y cuidado, pues son aspectos definidos por normativa.

● **Atención domiciliaria**. También son atenciones planificadas individualmente, de acuerdo con las necesidades de la persona o unidad familiar. Las actividades de higiene suelen estar agrupadas, junto con otras actividades (tareas domésticas, etc.), en un plan de trabajo. En muchos casos, los domicilios no cuentan con un entorno adecuado (especialmente baños no adaptados y espacios estrechos poco maniobrables). Estas limitaciones afectan a la comodidad de la persona y suponen una mayor dificultad en la ejecución de las tareas por parte del personal. Lo ideal será proceder a una adaptación del domicilio, solicitando una prestación para este fin.

**¡Tenlo en cuenta!**

En centros de día también se llevan a cabo actividades de higiene. Los criterios de planificación siguen los mismos principios que en los centros residenciales, pero en los centros de día comparten la realización de estas actividades con las que se realizan en el domicilio.

● **Proyectos de autogestión**. La persona en situación de dependencia contrata un o una **asistente personal** para que realice las actividades que entre ambos acuerden mediante un contrato; estas actividades suelen incluir las de higiene. En el contrato la persona hace constar, además de las actividades que requiere que el o la asistente realice, la manera como quiere que se lleven a cabo y la frecuencia con que se debe realizar cada una de ellas. En estos proyectos, como son autogestionados, la propia persona se ocupa de que el entorno reúna las mejores condiciones para su comodidad y seguridad.

El personal técnico en atención a personas en situación de dependencia (APSD) puede participar en la ejecución de las actividades de higiene en cualquiera de estos tres entornos.

## Actividades

Mapa de burbujas expandidas    Infografía    Diagrama de comparación y contraste

1. Elabora un **mapa de burbujas expandidas** con los beneficios que aportan las actividades de higiene.

2. Elabora una **infografía** para explicar los diferentes niveles de apoyo en las actividades de higiene, partiendo de las posibilidades de autonomía y participación de la persona.

3. Por parejas, comparad la aplicación de actividades de higiene en un centro residencial con las de un servicio de ayuda al domicilio. Podéis utilizar un **diagrama de comparación y contraste**.

# 1.2. Organización de la higiene ambiental

La **higiene ambiental** es el conjunto de medidas encaminadas a proporcionar un entorno limpio, seguro y saludable que evite la propagación de enfermedades.

Una buena higiene ambiental favorece la preservación o el incremento del nivel de salud de la persona o personas que se desenvuelven en este entorno.

Las actuaciones de higiene ambiental tienen tres objetivos:

- La prevención de infecciones, enfermedades y accidentes.
- El incremento del bienestar y la promoción de la autonomía personal.
- La sostenibilidad y preservación del medio ambiente.

La consecución de estos objetivos pasa por la planificación y ejecución de unas actividades que creen unas condiciones higiénico-sanitarias adecuadas.

## 1.2.1. Actividades de higiene ambiental

Hay una gran variedad de actividades de higiene ambiental, pues son muchos los ámbitos en los que se ha de incidir. Entre ellas destacan:

- La **limpieza de la habitación y el baño** (y otras estancias) para prevenir la acumulación de suciedad y gérmenes. En los centros residenciales esta limpieza es responsabilidad del personal de limpieza; en los domicilios, en cambio, puede formar parte del plan de cuidados.

- La **ordenación de los objetos, materiales y enseres**. Los espacios han de estar ordenados y libres de obstáculos para garantizar la seguridad, evitando accidentes por golpes o caídas, y facilitando los desplazamientos.

  Por otra parte, los objetos deben guardarse cada uno en su lugar, así resulta sencillo localizar aquello que se necesita en cada momento.

- La **limpieza**, la **desinfección** y, si es necesaria, la **esterilización** de útiles, productos y superficies para prevenir o reducir el riesgo de infecciones. Hay que procurar que sean de fácil limpieza.

- La **disposición del mobiliario y otros elementos**, que debe permitir que el entorno sea lo más accesible y confortable posible, y facilitar las tareas de limpieza.

- El **establecimiento de unas condiciones ambientales óptimas**. La ventilación es importante en la prevención de infecciones, pues la circulación de aire fresco reduce la concentración de microorganismos y evita la humedad. Otros elementos, como los niveles de ruido, la temperatura o la iluminación influyen en el bienestar de las personas.

- La **gestión responsable de los residuos**. Los residuos se han recoger de manera separada y depositar en los contenedores apropiados para cada tipo de residuo.

- La **higiene del personal de atención**. Tanto el personal profesional como las personas cuidadoras informales pueden actuar como transmisores de infecciones, por eso hay que insistir en la adopción de medidas higiénicas por su parte. La higiene de manos, hecha correctamente y en todos los momentos en que se requiere, es la medida más importante.

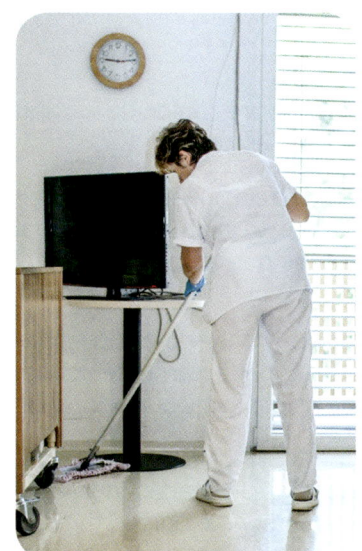

**Fig. 1.2.** La higiene ambiental es un elemento destacado en el cuidado de la salud.

**Tarea 4**
La higiene ambiental

**¡Tenlo en cuenta!**

Conseguir y preservar la higiene ambiental es más fácil en los centros asistenciales, debido a que existe una organización más planificada y a que los espacios, mobiliario e instalaciones se han diseñado teniendo en cuenta criterios de higiene.

**Fig. 1.3.** Las características y condiciones del entorno influyen significativamente en la calidad de vida.

**¡Tenlo en cuenta!**

La planificación debe ser suficientemente flexible para ajustarse a las condiciones de cada entorno y actualizable en la medida en que estas se modifiquen.

# 1.2.2. ¿Cómo planificar la higiene ambiental?

La planificación de la higiene ambiental es mucho más exigente en entornos residenciales que en atención domiciliaria, pues todo está regulado y protocolizado. En el caso de la atención domiciliaria, dependerá de las condiciones de cada domicilio. En cualquier caso, una planificación de higiene ambiental debería contemplar estos procesos:

- **Valoración de las condiciones del entorno** para establecer si supone un riesgo de infecciones (por ejemplo, por suciedad o mala ventilación) o si puede plantear dificultades para la movilidad o para prestar la asistencia.

- **Valoración del estado de la persona y de sus necesidades**. Por ejemplo, si tiene alguna alergia, una disminución de su movilidad, etc.

- **Definición de todas las tareas**. Se deben definir las actividades que es necesario realizar y la frecuencia con que se llevará a cabo cada una.

- **Establecimiento de los procedimientos o protocolos** para la ejecución de las actividades. En ellos deben figurar:

  - La descripción detallada de los pasos que han de seguirse.

  - El uniforme y el equipo de protección que se debe usar.

  - Los productos detergentes, desinfectantes o de otro tipo para cada operación, con las exigencias de empleo responsable y seguro.

- **Establecimiento de los controles** que se pondrán en práctica para garantizar que las actividades se han realizado correctamente y de la frecuencia con que se llevará a cabo cada uno de ellos.

---

## Actividades

 Mapa de burbujas     Diagrama de flujo      Informe

**4.** Elabora un **mapa de burbujas** con las actividades asociadas a la higiene ambiental.

**5.** Elabora un **diagrama de flujo** con los procesos de planificación de la higiene ambiental de un centro o servicio.

**6.** Para cada una de las situaciones siguientes indica qué riesgos, problemas o dificultades podrían causar:

**a)** En la habitación de la persona usuaria en un centro residencial hay distintos objetos en el suelo: su maleta, unas bolsas en las que hay unos regalos que le ha traído una visita y sus zapatos de calle.

**b)** En una asistencia domiciliaria te encuentras que sobre la mesilla de noche hay unas gasas sucias y unos guantes usados, que un familiar ha usado para hacer unas curas a la persona en situación de dependencia.

**c)** En un centro residencial, vas a proceder a la higiene personal de una persona, observas que en el carro en el que se transportan los materiales necesarios, estos están completamente desordenados.

**d)** Observas que tu compañera acaba de realizar una cura a una persona y no se ha lavado las manos.

**7.** Imagínate que trabajas en una entidad que presta servicios de ayuda domiciliaria. Te han asignado un domicilio. Nada más llegar, te das cuenta de que las condiciones ambientales no favorecen el bienestar de la persona. En grupos pequeños elaborad un **informe** con las condiciones ambientales óptimas que debería tener un domicilio en el que vive una persona que requiere un servicio de ayuda a domicilio.

# 1.3. Organización de la higiene personal

> La **higiene personal** es el conjunto de medidas que tienen como objetivo la conservación de la salud y la prevención de enfermedades mediante el aseo del cuerpo.

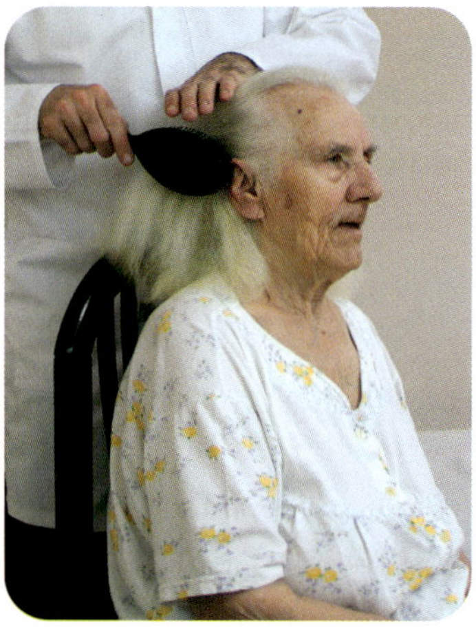

La higiene personal es una práctica fundamental para el mantenimiento de la salud y el bienestar de la persona pero, como hemos dicho, también contribuye a preservar su dignidad, su autoestima y su proyección social.

## 1.3.1. Actividades de higiene personal

Las actividades de higiene personal se dirigen a la eliminación de la suciedad, al mantenimiento la piel en buenas condiciones y a una gestión óptima de los cuidados asociados a la incontinencia.

Entre estas actividades de higiene personal las más importantes son:

- **Ducha o baño completo**. Se aplica periódicamente, normalmente entre dos y tres veces a la semana, según las condiciones de salud de la persona, su nivel de movilidad y sus preferencias personales.

- **Lavado de manos**. Se realiza de manera rutinaria antes de comer o después de ir al baño, y en cualquier momento en que las manos estén sucias.

- **Higiene bucal**. Incluye el cepillado de dientes y la limpieza de la boca, después de cada comida, para mantener una buena salud oral.

- **Cuidado del cabello**. Incluye actividades de lavado y peinado, además del paso por el servicio de peluquería cada cierto tiempo.

- **Lavados parciales**. Son complementarios al baño completo y se realizan en áreas específicas más propensas a la acumulación de bacterias, como axilas, pies, pliegues cutáneos y, especialmente, la zona genital.

- **Cambio de ropa**. Incluye las tareas asociadas a la elección de la ropa (que esté limpia y sea la adecuada al tiempo que hace) y los apoyos necesarios para vestirse, desvestirse y ponerse los zapatos.

- **Recogida de las eliminaciones**, en casos de incontinencia. Implica tareas como la entrega o colocación del orinal de cama, el cambio de pañales, la higiene perineal y anal y la atención a la piel, para evitar irritaciones.

Cada una de estas actividades se aplica prestando el nivel de ayuda que la persona necesita, de acuerdo con lo que establece su planificación.

## 1.3.2. La planificación de la higiene personal

La planificación de la higiene personal básicamente se organiza en dos niveles: un *plan de atención individualizado* y un *plan de cuidados*. Para una ejecución correcta del plan de cuidados se establecen unos *protocolos*.

Esta estructura es válida tanto para la atención en centros residenciales como en los servicios de ayuda a domicilio (SAD), aunque está más estructurada y protocolizada en los primeros.

Los proyectos de autogestión cuentan con un *plan individualizado para la vida independiente* (PIVI) como documento de planificación.

**Fig. 1.4.** La higiene personal es un aspecto esencial para el cuidado de la salud y para proporcionar bienestar.

**¡Tenlo en cuenta!**

Todas las actividades de higiene incluyen en su protocolo la revisión del estado de la piel para detectar de forma precoz cualquier lesión o alteración que aparezca. Asimismo, se contempla la aplicación de cremas o lociones para mantener la piel hidratada y en buen estado.

**Tarea 2**
Interpretación de
la documentación

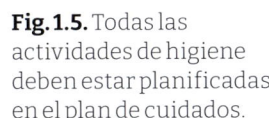

El plan de atención
individualizada

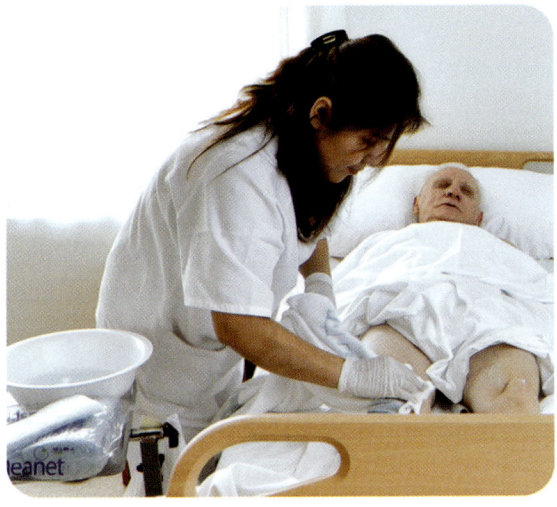

Modelo de PAI

## ❯❯ El plan de atención individualizado

El **plan de atención individualizado (PAI)** es el documento en el que se detallan las necesidades, los objetivos de intervención y las acciones previstas para la atención individualizada de la persona usuaria.

**¡Tenlo en cuenta!**

Existen diferentes terminologías para designar el plan individualizado: *plan de atención individualizada* (PAI), *plan individualizado de atención integral* (PIAI) o *plan de atención y apoyo.*

En la elaboración del PAI participan profesionales de las distintas áreas, pero también miembros de la familia y la propia persona usuaria. A partir de esta interacción se tendrá una visión integral de las necesidades e intereses de la persona. El plan individualizado está ordenado por áreas, cada centro o servicio tiene su propia ordenación, pero en general las actividades de higiene se incluyen en estas áreas:

● El **área funcional**. Recoge la planificación relacionada con la ejecución de las actividades de la vida diaria (AVD), entre las cuales están las referentes a la higiene personal: baño o ducha, aseo, vestido, etc.

● El **área sanitaria**. Entre las actividades de higiene que ocupa esta área están, por ejemplo: la prevención y atención de úlceras por presión (UPP) o la gestión de las incontinencias.

El plan debe ser revisado y actualizado de forma periódica, de manera que responda de manera ajustada a las necesidades cambiantes de la persona.

## ❯❯ El plan de cuidados

El **plan de cuidados** es el documento donde se concretan las actividades que hay que prestar a la persona.

Estas atenciones se desprenden del PAI y concreta cómo implementarlas de manera efectiva. Normalmente en un plan de cuidados se indica: (Doc. 1.1)

● Los objetivos de la actividad, tanto de atención física como psíquica y social.

● La relación de actividades que componen el plan de cuidados.

**Fig. 1.5.** Todas las actividades de higiene deben estar planificadas en el plan de cuidados.

● La frecuencia o periodicidad de ejecución de cada actividad descrita: diaria, semanal...

● El nivel de ayuda y los apoyos que requiere: supervisión, ayuda leve, etc.

● Los recursos (equipos, productos, materiales, etc.) que necesita para su ejecución, incluidos los productos de apoyo.

● Las pautas para el seguimiento.

Es muy importante que el plan de cuidados se establezca a partir de los intereses y demandas de la persona usuaria, de esta manera, además de obtener un resultado más satisfactorio, contribuirá a reforzar en la persona la confianza en que sigue manteniendo las riendas de su vida.

Documento 1.1.
## Modelo de plan de cuidados

| Plan de cuidados. Actividades de higiene | | | |
|---|---|---|---|
| **Datos usuario/a:** Regina Campos Ochoa **Edad:** 81 años **N.º expediente:** 6231 | | | |
| **Objetivos:** • Mantener una higiene corporal adecuada. • Atender sus necesidades de recogida de eliminaciones. • Mantener la piel limpia y protegida. • Favorecer el bienestar de la persona y una imagen personal positiva. | | | |
| **Actividades** | **Frecuencia** | **Apoyos personales** | **Productos** |
| **Ducha/baño completo** | 2 veces semana | Acompañamiento a la ducha Ayuda en preparativos Apoyo en tareas de acceso Baño completo de cuerpo y cabello Ayuda en el vestido | Champú, jabón, crema hidratante, toallas, cepillo, ropa limpia |
| **Higiene bucal** | Después de cada comida | Acercamiento de los productos Supervisión | Cepillo dental adaptado, pasta de dientes, hilo dental |
| **Higiene de manos** | Antes y después de las comidas Después de usar el baño | Ayuda al traslado Supervisión | Jabón neutro, agua, crema hidratante |
| **Cuidado de las uñas** | Manos: semanal Pies: 15 días | Corte y limado de uñas después del baño | Cortaúñas y lima |
| **Cuidado de la piel** | Inspección diaria Después del baño | Aplicación de crema hidratante en las zonas más vulnerables | Crema hidratante |
| **Cambio de pañales** | Cada 4-5 horas o cuando lo pida | Cambio de pañales Limpieza de la zona y secado Aplicación de crema Vestido | Pañales limpios, agua, esponjas jabonosas, toallas de un solo uso, crema hidratante |
| **Seguimiento:** • Revisión semanal del estado de la higiene. • Reunión mensual de coordinación para evaluar su capacidad de colaboración. • Valoración sobre si hay que realizar ajustes o cambios en el plan de cuidados. • Valoración la satisfacción de Regina con los cuidados recibidos. | | | |

## » Los protocolos

En el plan de cuidados aparecen indicaciones sobre la ejecución de las actividades, pero no se detalla cómo debe aplicarse el procedimiento. Para garantizar la realización correcta de las actividades, muchos procedimientos se protocolizan.

 Los protocolos

> Un **protocolo** es un documento formal que detalla la secuencia de los pasos que debe seguir el personal para la realización de un procedimiento de atención de manera correcta.

Cada centro elabora sus protocolos, necesarios para uniformizar la ejecución del procedimiento, evitar la arbitrariedad en su aplicación y garantizar la seguridad de la persona usuaria. Entre los protocolos asociados a la higiene personal y el cuidado de la piel, los centros suelen contar con:

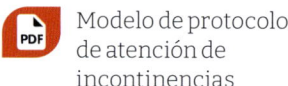 Modelo de protocolo de atención de incontinencias

● Protocolo de higiene personal. (Doc. 1.2)

 Modelo de protocolo de prevención y tratamiento de UPP

● Protocolo de prevención y tratamiento de UPP.

● Protocolo de atención a las incontinencias.

Documento 1.2.
## Modelo de protocolo de higiene personal

| Definición: | Protocolo de higiene personal |
|---|---|
| Objetivo: | Mantener una buena higiene de las personas usuarias. |
| Población a la que va dirigido: | Toda la población residente. |
| Profesionales implicados: | Este procedimiento lo llevará a cabo el personal técnico en APSD. |
| Descripción de la actuación: | Descripción por orden de los pasos a seguir:<br>1. Higiene diaria: lavado, peinado y afeitado e higiene bucal, siguiendo los procedimientos establecidos.<br>2. Higiene de la zona perineal, de acuerdo con las necesidades de cada persona.<br>3. Ducha asistida o baño y lavado de cabello semanalmente.<br>4. Cuidado de la piel: secado de la piel con especial atención en los pliegues e hidratación.<br>5. Cuidados de pedicura, manicura, depilación...<br>6. Acicalado, siguiendo la costumbre y el gusto de la persona.<br>7. Vestido con ropa limpia.<br>En todos los pasos:<br>• Respetar las costumbres y la intimidad de la persona usuaria.<br>• Potenciar la autonomía de la persona y ayudarla cuando sea necesario. |
| Registro: | Registros que se deberán cumplimentar. |
| Fecha de elaboración y firma: | Fecha y firma de las personas han elaborado el protocolo. |
| Fecha de revisión y firma: | Fecha y firma de las personas que han revisado el protocolo. |

Elaborado a partir del documento: *Protocolos y registros para el funcionamiento de residencias*. En http://www.inforesidencias.com

## ›› Plan individual de vida independiente

En los proyectos de autogestión basados en la contratación de un o una asistente personal, el documento de programación es el *plan individual de vida independiente*.

> El **plan individual de vida independiente (PIVI)** es el documento mediante el cual la persona con discapacidad planifica las atenciones que desea recibir de un servicio de asistencia personal.

**Fig. 1.6.** En el plan de vida independiente, la persona en situación de dependencia define las actividades que debe realizar la persona que la atienda como asistente personal.

En este documento se establecen las necesidades de asistencia de la persona, las horas de apoyo requeridas y las actividades de apoyo que se incluyen en la prestación del servicio. En el PIVI deben figurar, al menos, estos datos:

 El plan individual de vida independiente

● **Datos de la persona usuaria del servicio**: datos personales, incluido el diagnóstico.

● **Descripción de la vivienda**: condiciones de la vivienda, detallando el nivel de accesibilidad y adaptación para la realización de las actividades de la vida diaria.

● **Objetivos** que persigue el plan.

● **Actividades** que se deben prestar por medio de la asistencia personal, tanto de apoyo a los cuidados básicos, como de acompañamiento o de participación social.

● **Horas previstas** para la realización de cada actividad.

● **Recursos necesarios** para la aplicación del plan acordado y su disponibilidad. En especial, productos de apoyo como sillas de ruedas, sillas de baño, grúas, etc.

● **Pautas para el seguimiento** del plan.

En cualquier caso, es la propia persona la que define y administra su PIVI, y la que se encarga de la contratación de la persona que trabajará como asistente personal. Así mismo, decide la manera y la frecuencia con que la persona contratada debe realizar cada actividad.

 ## Actividades

 Titulares     Mapa mental      Mapa de doble burbuja

**8.** Ahora que ya disponéis información suficiente sobre los beneficios de una buena higiene corporal, aplicad la rutina de pensamiento **Titulares** (*Headlines*), siguiendo estos pasos:
  ● Individualmente, proponed un titular que sintetice los beneficios de la higiene corporal.
  ● Realizad una puesta en común en que cada alumno propone su titular y justifica su elección.
  ● Con lo aprendido en la puesta en común, modificad vuestro titular inicial.
  ● Reflexionad sobre los cambios y exponed las razones por las que lo habéis modificado.

**9.** Escribe una lista de tus actividades diarias de higiene corporal y compárala con las que hemos descrito en este apartado. ¿Crees que tus necesidades higiénicas son las mismas que las de una persona que no se puede levantar de la cama?

**10.** Conseguid un PAI (por ejemplo, de centros en los que cursáis la formación en empresa). Identificad las áreas asociadas con las actividades de higiene. Identificad las necesidades y objetivos de alguna de estas áreas.

**11.** Elaborad, por parejas, un **mapa mental** de las informaciones que ha de tener un plan de cuidados, ejemplificando cada una a partir de un caso figurado.

**12.** Extraed del plan de cuidados simulado en la actividad anterior los recursos (productos, materiales, etc.) que habéis previsto para su atención. Elaborad una lista e indicad la utilidad de cada recurso.

**13.** Elaborad, en grupos de tres personas, un **mapa de doble burbuja** con las semejanzas y diferencias entre un plan de cuidados individualizado y un PIVI.

**14.** Por parejas, localizad un protocolo de higiene (podéis obtenerlo de un centro donde realicéis la formación en empresa, o si no, por internet). Extraed la información más significativa y preparad una presentación para exponer en clase el contenido de este protocolo.

# 1.4. Ejecución de las actividades de higiene

La ejecución de las actividades de higiene debe estar imbuida del principio de atención centrado en la persona, es decir, considerando que las actuaciones deben realizarse priorizando las preferencias, valores y deseos de la persona usuaria.

Las actividades de higiene tienen además un componente de privacidad e intimidad, pues son intervenciones que requieren el contacto físico y el acceso a las zonas del cuerpo más reservadas.

Partiendo de estos principios hay una serie de acciones que deberán presidir la ejecución de estas tareas:

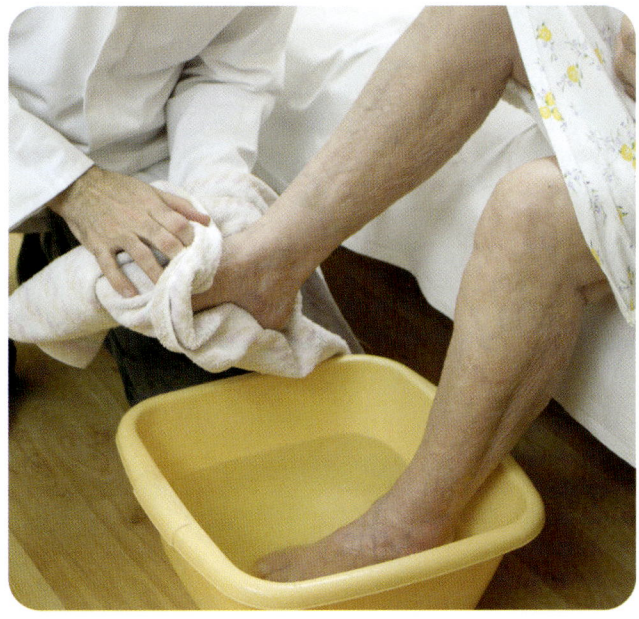

**Fig. 1.7.** Durante todas las actividades de higiene debemos tratar a la persona con respeto.

- **Conocer a la persona**. Si conocemos a la persona y hemos establecido una buena conexión, tendremos una información más precisa sobre sus necesidades, preferencias y hábitos de higiene. Además, esta mostrará mayor disponibilidad para la realización de las tareas.

- **Preservar la intimidad**. Las actividades de higiene pueden resultar incómodas o causar vergüenza. Para reducir esta incomodidad debemos cerrar la puerta o correr las cortinas antes de empezar. Además, evitaremos la exposición innecesaria de su cuerpo; en la medida de lo posible, a medida que descubramos una zona iremos cubriendo otra.

- **Preservación de la dignidad**. Durante todo el procedimiento, trataremos a la persona con respeto y dignidad, asegurando que se sienta valorada.

- **Consentimiento y participación**. Informaremos previamente a la persona de la actividad que vamos a realizar y solicitamos su consentimiento y colaboración, indicándole cómo puede ayudar. Y durante el proceso, le vamos explicando qué hacemos y le daremos las instrucciones que corresponda.

- **Atender a sus preferencias**. Se procurará ejecutar la actividad, dejándole las elecciones y atendiendo a sus peticiones; por ejemplo, eligiendo productos de higiene personal que le gusten, etc.

- **Fomentar la implicación y promover su autonomía**. Es importante que sepamos motivar a la persona para que se implique en su propio plan de cuidados y colabore activamente en las acciones y tareas que pueda realizar por sí misma. Así mismo, no es conveniente pedirle que intente movimientos o acciones que no tiene capacidad para hacer, ya que eso podría generar frustración.

**Tarea 3**
Los productos de apoyo

- **Usar productos de apoyo**. En ocasiones, las capacidades de la persona no permiten que lleve a cabo ciertas actividades de la forma en que normalmente se hacen. Pero sí podrá hacerlas recurriendo a productos de apoyo. Informar sobre estos productos y su uso o enseñar procedimientos adaptados forman parte de las intervenciones educativas. (Doc. 1.3)

La actuación de acuerdo con estos principios, además de asegurar una realización efectiva de la actividad, contribuye a que sea una experiencia placentera y positiva para la persona.

Documento 1.3.
# Los productos de apoyo

Los productos de apoyo son los instrumentos, equipos o dispositivos que facilitan la realización de determinadas tareas a la persona usuaria o a quienes la atienden.

Para facilitar su identificación, se han elaborado catálogos con una nomenclatura normalizada.

Los productos asociados a las actividades de higiene están catalogados como: **Productos de apoyo para las actividades de cuidado personal (ISO 09)**. Algunas de estas subcategorías son:

- **0909. Productos de apoyo para vestirse y desvestirse**: calzamedias, calzadores, abotonadores, etc.

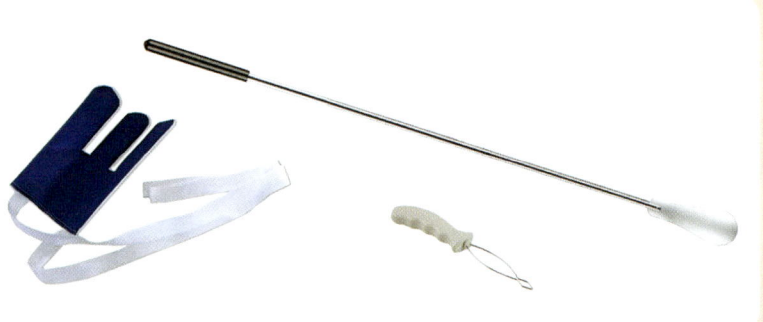

- **0912. Productos de apoyo para funciones de evacuación**: sillas con orinal, asientos para inodoros, alzas para inodoro, etc.

- **0921. Productos de apoyo para el cuidado, protección e higiene de la piel**: productos de protección para la piel, productos para el tratamiento de UPP, etc.

- **0927. Productos de apoyo para la recogida de orina y heces**: bolsas de recogida de heces u orina, orinales, dispositivos para la fijación de recolectores, etc.

- **0930. Productos absorbentes para la recogida de orina y heces**: pañales y absorbentes de diferentes tipos, ropa interior absorbente, absorbentes para la protección de camas, etc.

- **0933. Productos de apoyo para lavarse, ducharse y bañarse**: tablas de bañera, sillas de ducha, alfombrillas antideslizantes, manoplas, esponjas, cepillos con asidero, etc.

- **0939. Productos de apoyo para el cuidado del cabello**: lavacabezas de cama, peines de mango largo, etc.

Existen infinidad de productos de apoyo, pues están diseñados para atender una amplia variedad de necesidades específicas.

**Actividades**

**15.** Elaborad un *podcast*, por parejas, hablando de los principios que deberán presidir la realización de las actividades de higiene en personas en situación de dependencia.

**16.** Consultad el catálogo CEAPAT (Centro de Referencia Estatal de Autonomía Personal y Ayudas Técnicas) de producto de apoyo (u otra fuente especializada) y seleccionad cinco productos del grupo «Productos de apoyo para las actividades de cuidado personal (ISO 09)». Elaborad una ficha para cada producto con esta información:

- Nombre del producto.
- Fotografía del producto.
- Descripción y utilidad.
- Modo de uso.

 **RETO 1.1**
**La calidad en la prestación de actividades de higiene**

**Tarea final:** Preparación de una entrevista para plantear a la persona usuaria y su familia propuestas para mejorar la calidad de la atención.

## ¿Qué sabes ahora de...?

Reflexiona y valora tus conocimientos respecto a cada una de las siguientes cuestiones:

- ¿Sabes cómo influye la higiene en la salud de las personas en situación de dependencia?
- ¿Sabes qué es la higiene ambiental?
- ¿Sabes cómo se planifica la higiene personal?
- ¿Sabes qué es un plan de cuidados individualizado?

 Ni idea     Me suena     Lo conozco    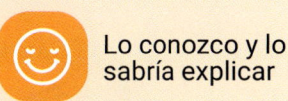 Lo conozco y lo sabría explicar

# Control y seguimiento de las actividades de atención higiénica

## ¿Qué sabes de...?

- ¿Sabes cómo se valora si las intervenciones en materia de higiene son correctas?
- ¿Sabes qué es una hoja de registro?
- ¿Sabes qué utilidad tiene una entrevista de seguimiento?

### ⭐ RETO 1

La hoja de registro de las actividades de atención higiénica

1. **El seguimiento de las actividades de higiene**

2. **El registro de las actividades de higiene**

**Control y seguimiento de las actividades de atención higiénica**

3. **La aportación de las personas usuarias**

5. **Archivo y transmisión de la información**

4. **Aplicación de protocolos de observación**

# 2.1. El seguimiento de las actividades de higiene

**Tarea 1**
El protocolo de seguimiento de las actividades de higiene

Para garantizar que las personas usuarias reciban la atención y los apoyos previstos, es necesario incorporar acciones de seguimiento, que pueden estar protocolizadas.

> Un **protocolo de seguimiento de las actividades de higiene** se compone de una serie acciones diseñadas para garantizar que la atención de la higiene de una persona sea adecuada y correcta.

## 2.1.1. Referencias para realizar el seguimiento

Las referencias para realizar el seguimiento, es decir, para valorar si las intervenciones en materia de higiene son correctas, son las siguientes:

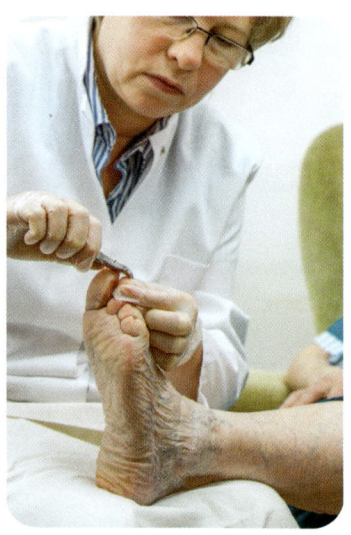

**Fig. 2.1.** Es necesario realizar un seguimiento para establecer si las intervenciones que se están realizando cumplen sus objetivos.

- **Estado de la persona y sus necesidades**. La información se encuentra en el plan de atención individualizado: estado de salud, capacidad funcional, nivel de deterioro cognitivo, estado psicológico, etc. Es el referente inicial sobre el que se establece el mantenimiento, progreso o retroceso.

- **Objetivos del plan de cuidados** (o del plan de atención individualizado, PAI). Tomados como referente sirven para valorar en qué medida se están consiguiendo. Incluso se puede valorar si son alcanzables o no.

- **Actividades previstas en el plan**. Básicamente se valora si las actividades seleccionadas son las idóneas o si es necesario añadir otras. Otro aspecto importante es estimar si la frecuencia que se está aplicando es la adecuada; por ejemplo, si una persona tiene programada una frecuencia de baño de dos veces a la semana, valorar si es suficiente.

- **Condiciones del entorno**. Se han de conocer las características de limpieza, orden y ambientales que debe reunir el entorno, y asegurarse de que se cumplen en el momento de realizar los procedimientos.

- **Protocolos de ejecución de las actividades**. Permiten que la ejecución de las actividades se realice de la manera prevista, siguiendo cada uno de los pasos establecidos. Es decir, se trata de valorar si hay incorrecciones en la aplicación de los procedimientos.

- **Satisfacción de la persona usuaria**, respecto a los cuidados higiénicos. Se valora cómo percibe que se realizan estos cuidados: si cree que su higiene está bien atendida, si siente que se tienen cuenta sus preferencias y opiniones en la ejecución de los procedimientos, si cree que tiene poca privacidad, etc.

- **Satisfacción de las familias**. Especialmente en personas con niveles altos de dependencia o vulnerabilidad, la familia es la que se encarga de realizar las valoraciones.

· · · · ·
**¡Tenlo en cuenta!**

En el plan de cuidados suele disponerse de un apartado de seguimiento, en el que se contemplan aspectos relacionados con las revisiones del plan de acuerdo con los cambios en las necesidades de la persona.

## 2.1.2. Aplicación del seguimiento

Este protocolo de seguimiento busca a asegurar que las actividades de higiene se realicen de manera efectiva y eficaz, lo cual es clave para la salud, la calidad de vida y el bienestar de las personas usuarias. También se valora si la persona usuaria y su familia están satisfechas con los servicios.

La realización del seguimiento se basa, en gran medida, en la revisión de las *hojas de registro*, en las que se anotan todas las intervenciones efectuadas. Pero también es muy importante obtener la *valoración de las personas usuarias* (y sus familias) y aplicar *protocolos de observación*.

De esta manera se asegura que las actividades de higiene se realizan de manera adecuada, respetando la dignidad y las necesidades de las personas atendidas.

### Actividades

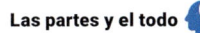 
Las partes y el todo

1. Elaborad un mapa metal para caracterizar el protocolo de seguimiento.

2. Aplicad la rutina de pensamiento **las partes y el todo** para analizar la importancia de los procesos de seguimiento en un plan de cuidados. Seguid estos pasos:

   - Considerad que *el todo* es el plan de cuidados y que *las partes* son: objetivos, actividades, apoyos personales, productos y seguimiento.

   - Por parejas, escribid cuál es la función de cada parte.

   - A continuación, indicad qué sucedería en *el todo* si no se implementase la parte de seguimiento.

   - Finalmente redactad vuestras conclusiones sobre la importancia del seguimiento en la aplicación del plan de cuidados.

## 2.2. El registro de las actividades de higiene

En el día a día realizamos las actividades planificadas, siguiendo las pautas establecidas en la planificación. Y tras realizar cada actividad dejamos constancia de ello en una *hoja de registro*.

Los registros

Los registros constituyen un elemento esencial para el seguimiento de la atención, ya que permiten consultar las intervenciones que se han realizado y cualquier incidencia que se haya producido.

El registro de las actividades es obligatorio tanto en entornos institucionalizados como en atención domiciliaria.

### 2.2.1. Las hojas de registro

**Tarea 2**
Las tareas de higiene con Marta. La hoja de registro

> Las **hojas de registro** son documentos, físicos o informatizados, en los que se deja constancia de las actuaciones realizadas y las incidencias observadas durante su ejecución.

Para el registro de las actividades de higiene suelen utilizarse **hojas de registro generales**, que recogen en una misma hoja varias actividades (baño, lavados parciales, atención a incontinencias, etc.), normalmente de periodicidad diaria o semanal. (Doc. 2.1)

### Documento 2.1.
### Modelo de hoja de registro semanal

Persona usuaria: _____ N.º de expediente: _____

Domicilio: _____ Profesional: _____

| Actividades de higiene | Horas | | | | | | | Observaciones |
|---|---|---|---|---|---|---|---|---|
| | Lun. | Mar. | Mié. | Jue. | Vie. | Sáb. | Dom. | |
| Levantar | | | | | | | | |
| Aseo personal | | | | | | | | |
| Baño/ducha | | | | | | | | |
| Lavado de cabeza | | | | | | | | |
| Vestir | | | | | | | | |
| Higiene bucal | | | | | | | | |
| Arreglo de uñas | | | | | | | | |
| Lavado de manos | | | | | | | | |
| Cuidado de pies | | | | | | | | |
| ... | | | | | | | | |

**Observaciones** (incidencias):

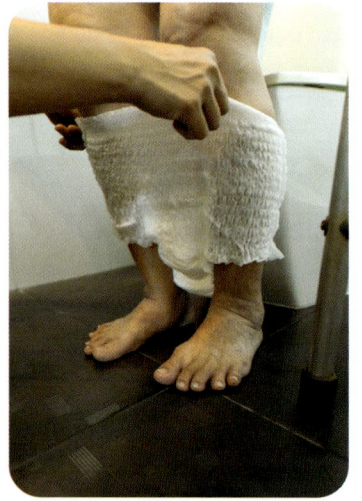

**Fig. 2.2.** Las actividades de atención a incontinencias se suelen realizar en registros diarios.

- Datos de la persona usuaria: nombre, número de expediente, habitación, etc.

- Detalle de las actividades que se han de registrar: higiene diaria, lavado de pelo, baño o ducha completo, pedicura, etc.

- Fecha y hora de realización de la actividad.

- Anotación de las observaciones e incidencias, si se da el caso.

- Identificación y firma de las personas que ejecutan el procedimiento.

Las actividades de recogida de eliminaciones y atención a incontinencias es preferible realizarlas en registros diarios, así pueden identificarse las horas, y por lo tanto la frecuencia, en el cambio de pañales, en la puesta en el orinal de cama, en acompañamientos al lavabo, etc.

Para el registro de actividades que requieren un control más preciso, como sucede con las de tratamiento de úlceras por presión (UPP), pueden utilizarse **hojas de registro específicas**. En estos casos, la hoja cuenta con distintos apartados para reseñar los aspectos esenciales: zonas de localización, estadio de evolución de la úlcera, tratamiento efectuado, etc.

## 2.2.2. Registro de las actividades de higiene

Los registros pueden cumplimentarse de manera convencional en una **hoja impresa** en la que se anota el procedimiento realizado. Sin embargo, cada vez se utilizan más los **registros informatizados**, que aportan ventajas en los diferentes procesos:

- **Facilidad de cumplimentación**. Con soportes digitales, el registro de las intervenciones es más fácil y cómodo.

- **Facilidad de transmisión y archivo de la información**. Una vez cumplimentado, el registro se carga de manera inmediata en el historial de la persona y queda disponible para su consulta.

Gestión asistencial:
registros asistenciales,
medicación, higiene, etc.

● **Facilidad del manejo de la información archivada**. Las herramientas informáticas permiten una recuperación inmediata y precisa de la información necesaria para realizar un seguimiento, reevaluar planes de trabajo, supervisar el trabajo del personal, etc.

Este tipo de registros suelen formar parte de un sistema de gestión informatizada que integra todos los procesos de la organización, como la gestión administrativa, la de turnos de trabajo y horarios, la de altas y bajas, etc. La principal dificultad de su implantación es tener que dotar de portátiles, tabletas u otros dispositivos a todo el personal que debe acceder al sistema.

## ›› Registro de las incidencias u observaciones

También hay que señalar la importancia de anotar las incidencias u observaciones. Estas anotaciones pueden estar integradas en el mismo registro o hacerse en un registro específico. Las incidencias que se anotan pueden ser de distintos tipos:

● **Cambios en el estado físico**. Por ejemplo: detección de irritaciones en la piel, pérdida de la continencia diurna, aparición de sangre en las deposiciones, dolor en determinadas zonas, etc. Estas incidencias son especialmente importantes cuando suponen un deterioro de su salud o su funcionalidad.

● Incidencias u observaciones sobre el **comportamiento, la cognición o el estado de ánimo**, por ejemplo: muestras de hostilidad, indicios de deterioro cognitivo, pérdida de interés, abandono de la imagen personal, etc.

● Dificultades en la prestación del servicio, **a causa de deficiencias en el entorno,** por ejemplo: malas condiciones de la vivienda, necesidad de ciertos productos de apoyo (por ejemplo, de un cinturón de transferencia para realizar los traslados con mayor facilidad), etc.

● Sugerencias o **propuestas para mejorar la atención y el bienestar** de la persona: por ejemplo, proporcionarle un cepillo de mango largo para facilitar su independencia en el baño, incrementar la frecuencia del servicio de pedicura, cambiar la crema hidratante por una que le gusta más, etc.

La información recogida es muy importante para la readecuación del plan de cuidados, ya sea en el momento previsto para su revisión o, si la situación así lo justifica, de forma urgente.

### ¡Tenlo en cuenta!

La información obtenida por los registros es insuficiente para asegurarse de que las actividades de higiene se están aplicando de manera eficaz, por lo que será necesario aplicar otras medidas de control.

## Actividades

Infografía      Estructura cooperativa 1-2-4

3. Por parejas, localizad algunos registros de actividades de higiene (preferiblemente de un centro donde realicéis la formación en empresa, si no, por internet). Analizad las actividades que contempla y practicad su cumplimentación.

4. Conseguid un registro de gestión de las eliminaciones o de seguimiento de UPP (de un centro donde realicéis la formación en empresa o de internet). En una **infografía** identificad y describid cada uno de los apartados que lo componen. Simulad su cumplimentación.

5. Si disponéis de algún programa de gestión de residencias (o una demo), practicad la cumplimentación de hojas de registro.

6. Utilizando la **estructura cooperativa 1-2-4**, elaborad una lista lo más larga posible de incidencias que se pueden registrar, para cada uno de los tipos indicados en la tabla:

| Cambios físicos | Cambios psicosociales | Deficiencias del entorno | Mejora de la atención |
|---|---|---|---|
| ---------- | ---------- | ---------- | ---------- |

 ## 2.3. La aportación de las personas usuarias

 **Tarea 3**
Las técnicas interrogativas también son útiles para recoger información

Atendiendo al principio de que la persona ha de ser la protagonista de las decisiones que se toman para su atención, es necesario acercarse ellas para que aporten su visión personal y cualitativa sobre la calidad en la prestación de los cuidados de higiene: si consideran que están bien atendidas, si los procedimientos se aplican con corrección, si se atienden sus preferencias, etc.

Esta aproximación puede llevarse a cabo mediante **entrevistas de seguimiento**, programadas con la persona usuaria o con su familia, con el objeto de resolver dudas y valorar el progreso, la calidad de la atención o la satisfacción de la persona usuaria. En estas valoraciones, las asociadas a la higiene tendrán un papel destacado.

También podremos obtener información por medio de **conversaciones informales** con las personas usuarias, en estos casos podremos registrar las ideas obtenidas en un diario de campo. En cualquier caso, es necesario fomentar el *feedback* con las personas usuarias para que se expresen sus sensaciones, su nivel de comodidad o, también, las carencias del servicio, sus quejas o sus propuestas de mejora.

**¡Tenlo en cuenta!**

El diario de campo es un registro informal, subjetivo y sin ninguna estructuración. Consiste simplemente en un pequeño cuaderno en el que se anota la fecha, la hora y la descripción del suceso o circunstancia que se considera interesante recordar y que si no se anota se podría olvidar.

**¡Tenlo en cuenta!**

En atención domiciliaria, la supervisión también se lleva a cabo mediante entrevistas telefónicas de control, para asegurarse de que las actividades efectivamente se han realizado dentro de los horarios establecidos y con la calidad requerida.

 ## Actividades

**7.** Elaborad por parejas el guion de una entrevista de seguimiento a una persona usuaria y a su familia, para saber qué percepción tienen del servicio (especialmente en lo referente a las atenciones higiénicas) y cómo creen que podría mejorarse.

**8.** Realizad un *role-playing* poniendo en práctica el guion de la actividad anterior (cada pareja utiliza su guion para entrevistar a otra pareja). Procurad generar *feedback*.

**9.** Explica para qué sirve un diario de campo y di qué tipo de observaciones se pueden anotar en él.

 ## 2.4. Aplicación de protocolos de observación

 **Tarea 4**
La observación como herramienta para valorar las condiciones del entorno

La observación es otro recurso que puede utilizarse como herramienta de seguimiento de las actividades de higiene personal y de las de higiene ambiental. Los aspectos que observar son los siguientes, todos ellos esenciales para asegurar una ejecución correcta de las actividades de higiene:

● **Aplicación de los procedimientos**, siguiendo los protocolos establecidos. Se valora la calidad de la ejecución técnica de cada procedimiento, el seguimiento de los pasos de los protocolos, la preservación de la intimidad durante su ejecución, etc.

● **Interacción entre profesional y persona usuaria**. Se valora si han establecido conexión, si hay empatía, si el trato es respetuoso, si se atienden las preferencias de la persona, si esta se implica y colabora en la medida de sus posibilidades, etc.

● **Condiciones del entorno**. Se valora la accesibilidad, la limpieza de las superficies y las estancias, la integridad y funcionalidad de los productos de apoyo, la existencia de unas condiciones ambientales adecuadas, etc.

Al ser un protocolo, la observación debe ser sistemática, es decir, planificada y organizada, con la intención de conseguir una información concreta. El instrumento más eficaz para realizar esta valoración es la *lista de verificación o control*.

> Una **lista de verificación o control** consta de un listado de indicadores relativos a la actividad observada, con dos opciones de registro: *sí* o *no*.

Es habitual que estas listas incluyan una columna sobre observaciones o incidencias. (Doc. 2.2)

Documento 2.2.
## Lista de control para valorar la actividad de baño

| Actividad: Baño completo | Sí | No | Observaciones |
|---|---|---|---|
| Las condiciones ambientales han sido las adecuadas. | | | |
| Se ha verificado la temperatura del agua. | | | |
| Todos los productos y materiales estaban preparados. | | | |
| Se ha pedido consentimiento y colaboración. | | | |
| Ha existido conexión entre profesional y persona usuaria. | | | |
| El/La profesional ha actuado con empatía. | | | |
| Las tareas del baño se han ejecutado según protocolo. | | | |
| Se han revisado las zonas corporales de riesgo y los pliegues. | | | |
| Se ha secado la piel y aplicado crema. | | | |
| Se han atendido las preferencias de la persona usuaria. | | | |
| Se ha observado el estado general de la persona usuaria. | | | |

 **Actividades**

 **Infografía**

**10.** Enumera las principales diferencias que hay entre una observación informal y una sistemática.

**11.** Elaborad, por parejas:
   **a)** Cinco indicadores para valorar la correcta aplicación de una actividad de baño.
   **b)** Cinco indicadores para valorar la interacción entre profesional y persona usuaria.
   **c)** Cinco indicadores para valorar las condiciones del entorno.

**12.** Simulad la aplicación de la lista de verificación del DOCUMENTO 2.2 a una persona usuaria. Se dan estas situaciones:
   ● En el baño hace frío y la persona se queja de ello.
   ● La persona no quería ducharse, porque para ella no es una actividad placentera.
   ● La colaboración es mínima.
   ● Cuando se va a enjabonar, se observa que no queda gel de baño.
   ● La higiene se ha efectuado superficialmente.

   Después haced una puesta en común. En pequeños grupos elaborad una **infografía** con propuestas para mejorar la actividad del baño para esta persona.

**13.** Elaborad una lista de verificación para realizar el seguimiento de un cambio de pañales a una persona encamada.

##  2.5. Archivo y transmisión de la información

 **Tarea 5**
La gestión y transmisión de la información

Toda información generada se archiva en el expediente personal. Estos expedientes deben guardarse en lugares seguros: en archivadores cerrados con llave si son impresos o mediante sistemas protegidos con contraseñas en caso de archivos digitales.

### 2.5.1. Acceso y distribución de la información

El archivo y la distribución de la información se realiza de manera diferente si se emplean sistemas informáticos o simplemente los recursos convencionales:

- En un **entorno digitalizado** el archivo y la posibilidad de consulta son inmediatos. El sistema informático dispone de perfiles que filtran a qué contenidos tiene acceso cada profesional.

- Si los **registros no están informatizados**, se guardan en carpetas y se transmiten las informaciones de interés a la coordinadora o coordinador, quien se encarga de distribuirla al personal al cual le corresponda actuar.

En cuanto a los canales formales de comunicación, se utilizan estas vías:

- **Correo electrónico corporativo o intranet**. Mediante él se distribuyen las informaciones al personal interesado.

- **Reuniones de coordinación y seguimiento**. En ellas se comparte la información y se valora el estado de la persona usuaria y su evolución. También se valora la efectividad del plan de cuidados y se plantean propuestas para una posible modificación. Podrán participar la persona usuaria o la familia, para asegurar que sus preocupaciones y preferencias sean atendidas.

- **Entrevistas con la persona usuaria o con la familia**. En ellas se les informa sobre los cambios detectados y las medidas propuestas. Así mismo, se les invita a hacer aportaciones y propuestas de mejora.

Es importante garantizar una distribución de la información eficiente, de forma que cada profesional pueda acceder a la que necesita de manera inmediata, pero manteniendo la confidencialidad fuera de estos canales.

### 2.5.2. La confidencialidad de los datos

La información generada en el conjunto de procesos de atención a las personas es confidencial, restringida a las personas que la necesitan y solamente utilizable para los fines para los que ha sido obtenida.

Algunas de las medidas que se deben aplicar son estas:

- Se debe informar a la persona y solicitar su consentimiento por escrito para la recogida de los datos de carácter personal.

- Se debe garantizar que la persona tenga un acceso completo a la información de su expediente, y que mantenga sus derechos de rectificación, cancelación u oposición.

- Cualquier tratamiento de la información por terceros debe ser autorizada por escrito por la persona usuaria, con algunas excepciones: juzgados, Hacienda, servicios de emergencias, etc.

La confidencialidad en el tratamiento de la información es la medida de protección de datos que más afecta al personal de atención directa.

**¡Tenlo en cuenta!**

Las informaciones relevantes, además de registrarlas como incidencias, se comunican directamente a la persona coordinadora, para que pueda tomar medidas correctoras.

**¡Tenlo en cuenta!**

Hay que procurar no discutir sobre información sensible de las personas usuarias en espacios no adecuados para esta finalidad y, por supuesto, si hay personas no autorizadas presentes.

**¡Tenlo en cuenta!**

En sintonía con lo establecido en la Ley Orgánica 3/2018 de protección de datos, los centros residenciales deben disponer de un documento de Compromiso de confidencialidad (establecido por la Resolución de 28 de julio de 2022).

## Actividades

**14.** ¿Qué son las reuniones de seguimiento? ¿Qué temas se trata en ellas?

**15.** Partiendo de los registros y propuestas de la Actividad 12, elaborad un **mapa mental** con los flujos de comunicación que sigue la información de las incidencias, tanto en el grupo de trabajo como con la persona usuaria y su familia.

**16.** Busca información sobre qué se entiende por compromiso de confidencialidad.

**RETO 2.1**
**La hoja de registro de las actividades de atención higiénica**
**Tarea final:** Preparación de un modelo de registro para las actividades de higiene.

## ¿Qué sabes ahora de...?

Reflexiona y valora tus conocimientos respecto a cada una de las siguientes cuestiones:

- ¿Sabes cómo se valora si las intervenciones en materia de higiene son correctas?
- ¿Sabes qué es una hoja de registro?
- ¿Sabes qué utilidad tiene una entrevista de seguimiento?

 Ni idea     Me suena     Lo conozco    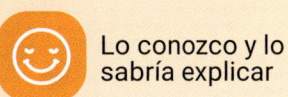 Lo conozco y lo sabría explicar

# 3

# La higiene ambiental

## ¿Qué sabes de...?

- ¿Sabes qué es la higiene ambiental y cuáles son sus objetivos?
- ¿Sabes por qué la higiene ambiental ayuda a evitar las infecciones?
- ¿Sabes qué es un reservorio, en el contexto de las enfermedades infecciosas?
- ¿Sabes cómo se colocan unos guantes estériles?

## ★ RETO 1

Preparar los espacios para una asistencia domiciliaria

1. Las condiciones del entorno

2. El cuidado de la salud de las personas usuarias

La higiene ambiental

3. El cuidado de la salud del personal

# 3.1. Las condiciones del entorno

El entorno de la persona en situación de dependencia es un aspecto importante para prevenir infecciones y accidentes, favorecer la autonomía personal y mejorar el bienestar.

> La **higiene ambiental** incluye todas las medidas encaminadas a proporcionar un *entorno saludable* a la persona atendida.

## 3.1.1. Un entorno saludable

> Un **entorno saludable** es aquel que favorece que el nivel de salud de las personas que se encuentran en él se preserve o aumente.

Las características que debe tener un entorno para que sea saludable se plantean desde varias perspectivas:

- **El cuidado de la salud de las personas usuarias**. Se presta atención a todas las medidas encaminadas a la prevención de infecciones y accidentes, y también a las que incrementan su bienestar y potencian su autonomía personal.

- **El cuidado de la salud del personal**. Las medidas en este caso están orientadas a evitar:

  - Enfermedades profesionales, especialmente el contagio de enfermedades infecciosas.

  - Accidentes laborales, como caídas o electrocuciones.

  - Lesiones osteomusculares debidas a movimientos repetitivos o esfuerzos en posiciones incorrectas.

- **El cuidado del medio ambiente**. En la atención a personas en situación de dependencia se manejan productos que pueden resultar nocivos para el medio ambiente, principalmente productos químicos.

  En los centros residenciales se aplican protocolos para el almacenamiento, uso y eliminación de todos estos productos. Cuando se trabaja en el ámbito domiciliario también es necesario planificar cómo se va a proceder con este tipo de productos.

## 3.1.2. Las condiciones higiénico-sanitarias

**Tarea 1**
La habitación

**Tarea 2**
Las instrucciones para Juan

> Las **condiciones higiénico-sanitarias** son todas las medidas destinadas a prevenir infecciones y combatir los riesgos para la salud de personas usuarias y del personal.

### » Ámbitos de aplicación

Estas condiciones se refieren a distintos ámbitos, principalmente:

- **Espacios**. Se establecen las dimensiones de las habitaciones, la superficie mínima por cama, el ancho mínimo de pasillos y puertas, la existencia de ventanas que aporten luz natural y ventilación, la disponibilidad de rampas y ascensores, las medidas de seguridad eléctrica, las medidas antiincendios, etc.

Los espacios deben ser seguros y accesibles, y también fáciles de limpiar y desinfectar.

- **Mobiliario y otros elementos**. Cada persona debe disponer de los elementos necesarios (cama, mesilla, armario, etc.). Los materiales de fabricación, las medidas y las características de estos elementos deben favorecer la comodidad y facilitar la limpieza.

- **Requisitos de limpieza, desinfección y esterilización**. Los espacios y el mobiliario, así como los materiales que se usan con las personas usuarias (esponjas, cepillos, tijeras, cuñas, vasos, platos, etc.) deben tener el nivel de higienización que les corresponda.

  Es necesario establecer, para cada grupo de productos, el protocolo de limpieza, desinfección o esterilización que se debe aplicar.

- **Condiciones ambientales**. Los niveles de ruido, temperatura, iluminación, humedad ambiental y ventilación influyen en el bienestar. Desde la perspectiva de la prevención de infecciones, la ventilación y la humedad son especialmente importantes: la falta de ventilación hace que aumente la concentración de microorganismos en el aire, y si además hay humedad, pueden crecer hongos.

### ›› Los centros residenciales y la asistencia domiciliaria

En el caso de los centros residenciales, todos los aspectos relacionados con la higiene ambiental están previstos y regulados, y los procedimientos que debe aplicar el personal, protocolizados para mantenerla.

Pero cuando se trata de una atención domiciliaria es necesario:

- Hacer una valoración para establecer si el entorno es adecuado y, si corresponde, proponer cambios o mejoras.

- Planificar las tareas necesarias para mantener una correcta higiene ambiental.

- Informar a la persona usuaria, la familia o cuidadores informales con respecto a las condiciones higiénicas que debe reunir el entorno y solicitar su colaboración para conseguirlas y mantenerlas.

## 3.1.3. La limpieza y el orden

Las condiciones higiénico-sanitarias se deben mantener en el día a día, preservando la *limpieza* y el *orden*:

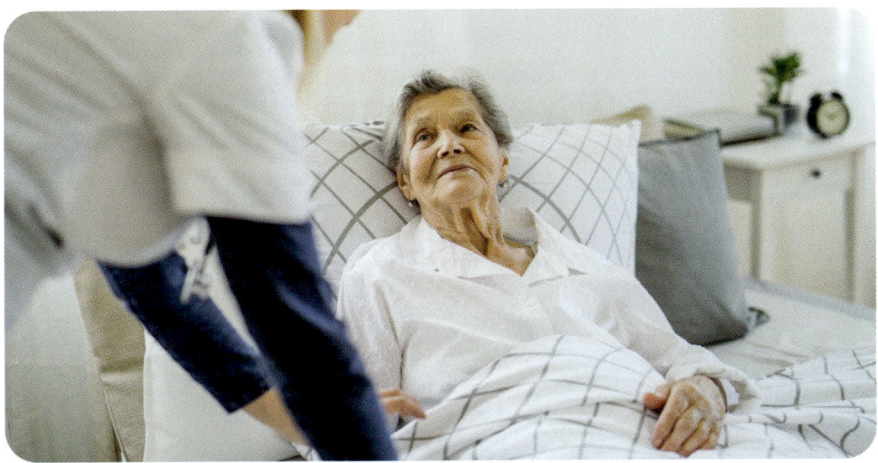

**Fig. 3.1.** Un entorno limpio y ordenado proporciona bienestar y ayuda a preservar la salud de la persona atendida.

● La **limpieza** proporciona un entorno más agradable y reduce el riesgo de infecciones.

● El **orden** es una necesidad por cuestiones de *seguridad* y *eficacia*. En el caso de las habitaciones, existe un objetivo adicional: proporcionar *bienestar*.

  ● **Seguridad**. La presencia de objetos en lugares que no les corresponde puede comportar un riesgo físico y ser causa de accidentes como caídas, golpes, cortes, resbalones o incluso electrocuciones. Además, la presencia de muchos objetos, papeles, etc., hace que se acumulen polvo y suciedad, y dificulta la limpieza, lo que puede favorecer la proliferación de microorganismos.

  ● **Eficacia**. Cuando cada objeto tiene su lugar resulta sencillo localizar lo que se necesita en cada momento y se evitan pérdidas de tiempo.

  ● **Bienestar**. El orden en la habitación es un factor que potencia la sensación de bienestar.

En ambos casos, el personal planifica y lleva a cabo las principales actividades, pero es esencial que la persona usuaria y su familia conozcan la importancia de mantener la limpieza y el orden en el entorno, y que participen activamente para preservarlos.

 ## Actividades

**1.** Las características que debe tener un entorno para que sea saludable se plantean desde varias perspectivas. Elabora un **mapa de burbujas expandidas** que muestre las características de un entorno saludable, teniendo en cuenta las distintas perspectivas.

**2.** Las condiciones higiénico-sanitarias son medidas de distintos ámbitos que ayudan a combatir los riesgos para la salud de las personas usuarias y del personal.

**a)** En parejas, pensad en una medida para cada uno de los ámbitos recogidos en la tabla siguiente, y explicad qué beneficios puede aportar esa medida.

Elaborad una tabla para presentar vuestras respuestas.

| Ámbito | Medida | Beneficios |
|---|---|---|
| Espacios | ---------- | ---------- |
| Mobiliario y otros elementos | ---------- | ---------- |
| Requisitos de limpieza, desinfección y esterilización | ---------- | ---------- |
| Condiciones ambientales | ---------- | ---------- |

**b)** En clase, compartid las medidas que hayáis seleccionado los distintos grupos y añadidlas a vuestra tabla.

**3.** En una asistencia domiciliaria te encuentras que sobre la mesilla de noche de la persona usuaria hay unas gasas sucias y unos guantes usados, que un familiar ha usado para hacer unas curas a la persona en situación de dependencia. En parejas:

**a)** Valorad cuál es el problema, qué consecuencias podría tener y cómo se deberá resolver para que no se repitan situaciones similares.

**b)** Realizad un *role-playing* en que simuléis las explicaciones y recomendaciones que consideréis que es necesario facilitar a la persona implicada, para que comprenda la importancia de la higiene ambiental. Un miembro de la pareja hace de técnico en atención a personas en situación de dependencia (TAPSD) y el otro, de familiar. Grabadlo en **vídeo**.

**c)** Reproducid el vídeo y valorad la forma en que ha actuado cada personaje. Elaborad una lista con todo aquello que consideréis que el personal TAPSD debe tener en cuenta en este tipo de situaciones.

# 3.2. El cuidado de la salud de las personas usuarias

La prevención de infecciones es un objetivo esencial de la higiene ambiental, y es especialmente importante cuando la persona atendida tiene un estado de salud frágil.

## 3.2.1. Las infecciones

**Tarea 3**
La prevención
de infecciones

> Las **infecciones** son procesos patológicos causados por la acción directa de *microorganismos*, es decir, de organismos o entidades biológicas que solo son visibles al microscopio.

### ›› Tipos de microorganismos

Teniendo en cuenta las características biológicas, podemos distinguir entre los siguientes tipos de microorganismos:

- **Bacterias**. Son organismos unicelulares procariotas (no tienen un núcleo diferenciado). Existen bacterias de vida libre y bacterias patógenas, es decir, que causan infecciones.

- **Hongos**. Existe una gran variedad de hongos. Cabe destacar las levaduras, que son hongos unicelulares, y los hongos filamentosos, formados por células alargadas dispuestas formando filamentos (hifas).

  Igual que ocurre con las bacterias, hay hongos de vida libre y hongos patógenos. Las infecciones causadas por hongos se denominan micosis.

- **Virus**. Son entidades microscópicas que penetran en las células y usan sus estructuras para multiplicar su material genético, generando así nuevos virus que, a su vez, infectan a otras células.

- **Protozoos**. Son organismos unicelulares eucariotas (con núcleo diferenciado). Son parásitos que necesitan introducirse en células de un organismo hospedador para completar su ciclo vital.

### ›› Microorganismos en el organismo humano

En el organismo humano encontramos de forma natural un gran número de bacterias, que son el componente mayoritario de la *microbiota*.

> La **microbiota** es el conjunto de microorganismos que reside en nuestro cuerpo sin causarle daños y, a menudo, desempeñando funciones beneficiosas.

Aunque la mayoría de estos microorganismos residen en el tracto gastrointestinal, también los hay en la cavidad nasofaríngea, en el tracto genitourinario y en el tracto respiratorio.

Los microorganismos *patógenos*, en cambio, no se encuentran de forma natural en el organismo.

> Los **microorganismos patógenos** son agentes externos que pueden provocar infecciones.

**¡Tenlo en cuenta!**

La presencia de microbiota es normal en ciertas zonas del organismo. Pero hay otras zonas en las que no debe haber ningún tipo de microorganismo, como la sangre o el líquido cefalorraquídeo. La presencia de microorganismos en estas zonas supone un problema de salud grave.

Existe además otra posibilidad: los *patógenos oportunistas*.

> Los **microorganismos patógenos oportunistas** son microorganismos no patógenos que causan infección en situaciones especiales, principalmente cuando las defensas de la persona infectada están disminuidas.

## ≫ Tipos de infecciones

Los procesos patológicos que pueden causar los microorganismos incluyen desde una infección leve en una pequeña herida hasta enfermedades, en algunos casos muy graves. Podemos establecer una distinción entre:

- **Enfermedades infecciosas**. Son enfermedades causadas por un microorganismo patógeno concreto que se manifiesta en todo el organismo con un conjunto de signos y síntomas característicos. Por ejemplo, la gripe o el sarampión son enfermedades infecciosas.

- **Infecciones locales**, que afectan a una zona delimitada del organismo. Por ejemplo, la infección de una herida, de un corte o de una úlcera.

- **Bacteriemias**. Se deben a la presencia de microorganismos en la sangre debida a la complicación de una infección o a causas accidentales.

**¡Tenlo en cuenta!**

Una denominación importante en el ámbito sanitario es la de infecciones nosocomiales. Una infección nosocomial o infección relacionada con la atención sanitaria (IRAS) es la que afecta a una persona durante un proceso de asistencia en un centro sanitario, que no estaba presente ni incubándose en el momento del ingreso. Incluye también las infecciones que se contraen en el hospital, pero se manifiestan después del alta, así como las infecciones ocupacionales del personal del centro sanitario.

## ≫ La cadena epidemiológica

La cadena epidemiológica

Los microorganismos que causan una infección llegan hasta el organismo al que infectarán (hospedador) y penetran en él. En su interior se multiplican y causan la enfermedad y, pasado un tiempo, salen al exterior para buscar un nuevo hospedador. La secuencia completa se denomina *cadena epidemiológica*:

> La **cadena epidemiológica** es la secuencia de medios y mecanismos por los cuales se propaga un microorganismo patógeno.

**Fig. 3.2.** La cadena epidemiológica.

### ⟩ El organismo hospedador

> El **organismo hospedador**, en nuestro caso, es la persona en cuyo organismo se alojan y multiplican los microorganismos.

La persona infectada, tras unos días de incubación, puede:

- **Sufrir la enfermedad**, con una intensidad que dependerá de diversos factores. Durante un periodo concreto, expulsará microorganismos y, por tanto, podrá transmitir la enfermedad.

**Fig. 3.3.** La tos y los estornudos son vías por las que el organismo puede expulsar partículas infecciosas.

- **No manifestar síntomas**. En este caso decimos que esa persona es **portadora** de la enfermedad. Es capaz de transmitirla, aunque no tenga manifestaciones clínicas.

Los microorganismos acceden al organismo por una *puerta de entrada* y salen de él por una *puerta de salida*.

- **Puerta de entrada**. Las más comunes son por ingestión, por inhalación, por contacto con mucosas o heridas y por pinchazo o corte. Otra vía posible es la picadura o mordedura de un insecto o de otro animal infectado con el microorganismo.

- **Puerta de salida**. Es la vía por la cual salen los microorganismos. Las más comunes son las heces, la orina, la sangre y las gotitas que se expulsan al toser o estornudar.

## » La vía de transmisión

> La **vía de transmisión** es el mecanismo mediante el cual un microorganismo consigue pasar de una persona a otra.

Distinguimos dos formas de transmisión de las enfermedades infecciosas: *directa* e *indirecta*.

- **Transmisión directa**. Los microorganismos pasan directamente de una persona a otra. En este caso decimos que la enfermedad es **contagiosa**.

- **Transmisión indirecta**. Los microorganismos que abandonan el cuerpo se mantienen en un **reservorio**. Pueden actuar como reservorios superficies, tierra, agua, alimentos o un organismo de otra especie. Algunos microorganismos son capaces de generar formas de resistencia (**esporas**) que se pueden mantener en el medio durante mucho tiempo.

  Cuando el reservorio es un animal o insecto que transmite la enfermedad mediante picadura o mordedura decimos que este actúa como **vector** de la enfermedad.

El conocimiento de la cadena epidemiológica permite:

- **Actuar para minimizar el riesgo de contagio individual**. Por ejemplo, sabiendo que un microorganismo penetra mediante inhalación se puede establecer la necesidad de usar mascarilla para atender a la persona infectada sin riesgo de contagio.

- **Emprender actuaciones de protección en el ámbito de la salud pública**, como las orientadas a actuar sobre los reservorios más comunes: control sanitario del agua potable, inspecciones sobre establecimientos y empresas que manipulan alimentos, normas sobre higienización de conductos de climatización, etc.

## » El proceso infeccioso

En todas las enfermedades infecciosas distinguimos tres fases: *fase de incubación*, *fase clínica* y *fase final*.

- **Fase de incubación**. Tras la entrada del microorganismo, este se multiplica y se desplaza para llegar hasta los tejidos u órganos en los que actuará. En esta fase no se observan síntomas, aunque es importante tener en cuenta que en algunas enfermedades contagiosas la persona ya puede empezar a contagiar la enfermedad a otras.

- **Fase clínica**. Se entra en esta fase en el momento en que se empiezan a manifestar los signos y síntomas, y dura hasta que estos desaparecen. La carga de microorganismos en esta fase es elevada y, si la enfermedad es contagiosa, el riesgo es muy alto.

- **Fase final**. La enfermedad remite y, tras un periodo de convalecencia, el organismo se recupera. Si la enfermedad ha sido grave, es posible que la persona sufra algún tipo de secuela o, en los casos más graves, que pueda fallecer a causa de la enfermedad.

En las enfermedades contagiosas, los días de incubación y los días en que la persona elimina microorganismos y, por tanto, puede contagiar la enfermedad a otras personas, son datos especialmente importantes para el control de la enfermedad.

### 3.2.2. La prevención de infecciones

La prevención de infecciones

La prevención de infecciones se basa en la aplicación de medidas de higiene. Las principales medidas de higiene que ayudan a evitar las infecciones se refieren a:

- Higiene personal.

- Higiene de manos.

- Higienización del entorno y de los materiales.

- Higiene en los procedimientos.

#### ›› La higiene personal

Los microorganismos presentes en la piel pueden infectar heridas o lesiones cutáneas, o penetrar en el organismo a través de mucosas o heridas. Por ello, la higiene corporal es importante para preservar la salud de las personas en situación de dependencia.

Este requisito también se aplica al personal, ya que una falta de higiene puede hacer que transmitan microorganismos a las personas que atienden o que se contagien de enfermedades que estas puedan tener.

Las principales medidas de higiene personal que se deben aplicar son:

- Retirar anillos, colgantes largos y otras joyas. Son objetos que suelen tener recovecos en los que fácilmente se acumula suciedad, por lo que son posibles reservorios de microorganismos. Además, en algunos casos pueden provocar la rotura de guantes, rozaduras a la persona usuaria mientras la atendemos, etc.

- Llevar el pelo recogido, si lo tenemos largo.

- Llevar el uniforme limpio y cambiarlo si se ensucia. Si no disponemos de uniforme usar una bata sobre la ropa para evitar que la ropa de calle pueda transmitir microorganismos o contaminarse.

- Usar un calzado adecuado. Debe ser cerrado para proteger el pie de salpicaduras, fluidos, etc.

- Cubrir cortes, heridas o lesiones cutáneas que tengamos. Podemos usar apósitos impermeables, dedales, guantes, etc., según el lugar y la extensión de la lesión.

- No comer ni beber fuera de las zonas habilitadas para estos usos.

## ›› La higiene de manos

En los entornos sanitarios y sociosanitarios el principal vehículo de transmisión de microorganismos son las manos del personal. Si no se aplica un protocolo correcto de higiene, el personal va acumulando microorganismos en sus manos y transmitiéndolos a las distintas personas a las que va atendiendo.

Para que esta higiene de manos resulte efectiva, se debe realizar cada vez que corresponda y hacerla de forma correcta.

### › «Los cinco momentos para la higiene de las manos»

La Organización Mundial de la Salud (OMS) propone unas pautas para la higiene de manos que denomina «Los cinco momentos para la higiene de las manos». Este modelo muestra de forma simplificada los momentos en los que es imprescindible efectuar una higiene de las manos.

Estos cinco momentos son los que muestra la siguiente imagen:

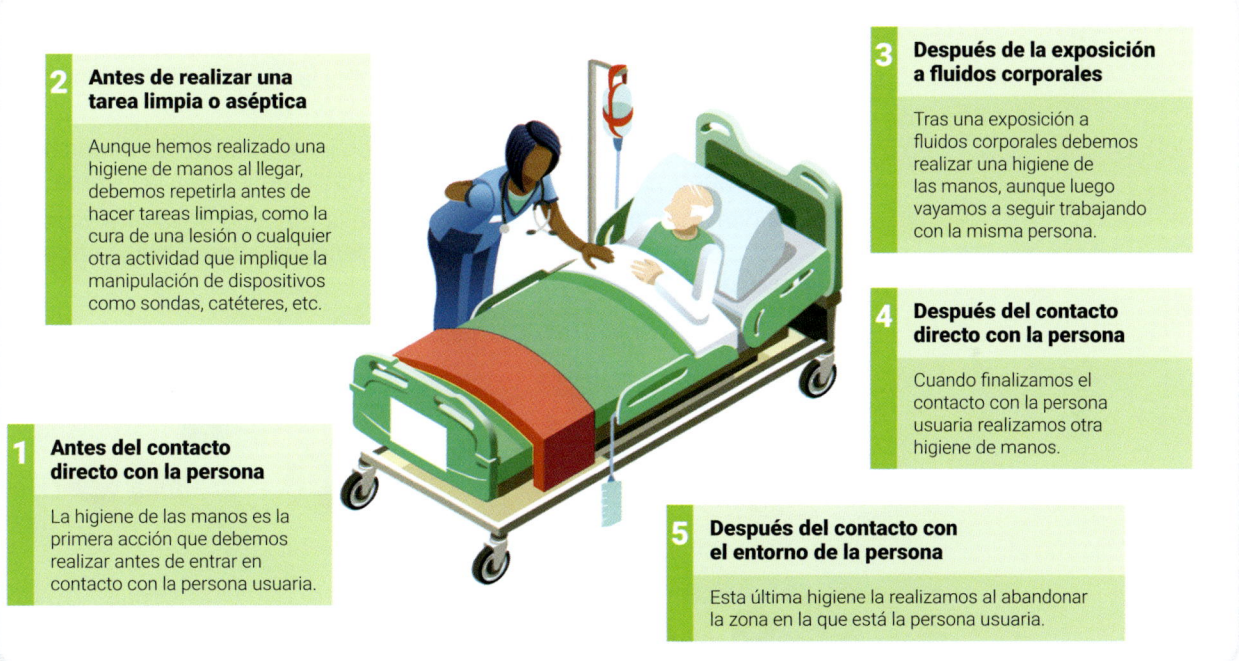

**2 Antes de realizar una tarea limpia o aséptica**

Aunque hemos realizado una higiene de manos al llegar, debemos repetirla antes de hacer tareas limpias, como la cura de una lesión o cualquier otra actividad que implique la manipulación de dispositivos como sondas, catéteres, etc.

**3 Después de la exposición a fluidos corporales**

Tras una exposición a fluidos corporales debemos realizar una higiene de las manos, aunque luego vayamos a seguir trabajando con la misma persona.

**4 Después del contacto directo con la persona**

Cuando finalizamos el contacto con la persona usuaria realizamos otra higiene de manos.

**1 Antes del contacto directo con la persona**

La higiene de las manos es la primera acción que debemos realizar antes de entrar en contacto con la persona usuaria.

**5 Después del contacto con el entorno de la persona**

Esta última higiene la realizamos al abandonar la zona en la que está la persona usuaria.

**Fig. 3.4.** «Los cinco momentos para la higiene de las manos».

### › Procedimientos para la higiene de manos

La higiene de las manos se puede realizar: *mediante fricción con un producto de base alcohólica (PBA)* o *mediante lavado con agua y jabón.*

● **La higiene de manos mediante fricción con un PBA** (Proc. 3.1). Un PBA es un preparado de base alcohólica adecuado para la higiene de manos, que se presenta en dispensadores. El uso de estos preparados es la forma más efectiva de asegurar el cumplimiento del modelo de «Los cinco momentos para la higiene de las manos», ya que la higiene se puede realizar de forma cómoda y rápida, y en cualquier lugar.

● **La higiene de manos mediante lavado con agua y jabón** (Proc. 3.2). Se debe recurrir a este sistema cuando las manos estén visiblemente sucias o manchadas de sangre u otros fluidos corporales, después de ir al baño y antes de ponerse unos guantes estériles. El procedimiento, una vez aprendido, se realiza en unos 40-60 segundos.

Procedimiento 3.1.
### Higiene de manos mediante fricción con un PBA

Higiene de manos
con PBA

**Materiales**

- Gel hidroalcohólico

**Pasos que seguir**

1. Deposita PBA en tus manos evitando en lo posible tocar el dispensador; si puedes, actívalo con el codo o con la cara interior del antebrazo o de la muñeca.

2. Realiza el siguiente frotado en siete pasos:

   **a.** Frota las palmas de las manos entre sí con un movimiento circular.

   **b.** Sitúa la palma de una mano sobre el dorso de la otra y entrelaza los dedos. Frota, desplazando las manos atrás y adelante. Después intercambia la posición de las manos y vuelve a frotar.

   **c.** Une las palmas de las manos y entrelaza los dedos. Frota, desplazando las palmas lateralmente.

   **d.** Junta la zona palmar de los dedos de ambas manos siguiendo la longitud de los dedos y cierra los puños. Frota, desplazando las manos lateralmente.

   **e.** Rodea con una mano el dedo pulgar de la otra y fricciona con un movimiento rotatorio. Después intercambia la posición de las manos y vuelve a frotar.

   **f.** Realiza un movimiento de rotación con las puntas de los dedos de una mano sobre la palma de la otra. Hazlo después a la inversa.

   **g.** Rodea con una mano la zona baja de la muñeca de la otra y fricciona con un movimiento rotatorio. Después, intercambia la posición de las manos y vuelve a frotar.

3. Espera un momento a que las manos se acaben de secar por sí mismas.

Procedimiento 3.2.
### Higiene de manos con agua y jabón

Higiene de manos
con agua y jabón

**Materiales**

- Agua
- Jabón
- Toalla de un solo uso

**Pasos que seguir**

1. Mójate las manos con agua y aplica jabón.
2. Realiza el mismo frotado que se hace para la higiene con PBA.
3. Enjuaga bien las manos con abundante agua.
4. Seca cuidadosamente las manos usando una toalla de un solo uso.

> Documento 3.1.
> **El cuidado de la piel de las manos**
>
> Las higienes de manos frecuentes pueden causar dermatitis. Para evitarlo, es importante saber que:
>
> - El lavado con agua y jabón es más agresivo para la piel que un frotado con un PBA. Y lo es aún más si se utiliza agua caliente.
>
> - El lavado con agua y jabón y la higiene con PBA no son procedimientos complementarios; es decir, según las indicaciones se aplica uno o el otro, pero nunca ambos.
>
> - Las manos se deben secar completamente antes de ponerse los guantes, sea cual sea el método aplicado.
>
> - Los guantes empolvados pueden producir irritación cuando se usan tras una higiene con un PBA.

## ›› La higienización del entorno y de los materiales

Las superficies, los suelos, los textiles, los productos de higiene o los sanitarios y cualquier otro elemento pueden actuar como reservorios de microorganismos si no se higienizan correctamente.

Dentro de esta categoría podemos incluir la gestión de residuos, algunos de los cuales pueden ser una fuente de infecciones. Dedicaremos la próxima unidad de trabajo a estudiar los procedimientos de higienización.

## ›› La higiene en los procedimientos

Los distintos procedimientos se deben realizar aplicando medidas higiénicas. Las más básicas son:

- Realizar una higiene de manos antes de empezar y otra al terminar.

- Usar guantes y cualquier otro elemento de protección que esté indicado en el protocolo.

- Utilizar materiales o instrumentos que tengan el nivel de higienización requerido para el procedimiento que se va a realizar. Prepararlos y comprobarlos todos antes de empezar.

- Evitar que haya contacto de materiales sucios con materiales limpios.

- Depositar los materiales sucios y los residuos en sus contenedores o bolsas directamente tras usarlos o lo antes posible, y no dejarlos sobre superficies ni en el suelo.

Algunas tareas requieren un nivel de higiene más alto que el que aplicamos habitualmente. La razón puede ser el propio procedimiento o bien el estado de salud de la persona atendida, que exigen que se mantenga una condición de *asepsia*.

> La **asepsia** es la condición libre de microorganismos que puedan producir enfermedades infecciosas.

La asepsia se consigue mediante desinfección y esterilización de materiales y espacios, pero es necesario preservar esta condición durante la realización de los procedimientos.

**Fig. 3.5.** La correcta higiene del entorno ayuda a reducir el riesgo de infecciones.

La higiene en los procedimientos

## ¡Tenlo en cuenta!

Los antisépticos son productos químicos que se aplican sobre la piel, las mucosas o los tejidos para destruir los microorganismos patógenos o para impedir o frenar su reproducción y dispersión.

Los procedimientos que realizamos conservando la condición de asepsia los denominamos **procedimientos asépticos** o **limpios**.

Para preservar la asepsia durante un procedimiento seguimos estas pautas básicas:

● Usar materiales e instrumental esterilizados y manipularlos correctamente para evitar su contaminación. Estos materiales van empaquetados para protegerlos, es necesario abrir los paquetes siguiendo cuidadosamente el protocolo establecido.

● Usar guantes, bata y los elementos de protección estériles que corresponda y colocarlos correctamente para evitar su contaminación. También en este caso los productos van empaquetados.

● Realizar el procedimiento siguiendo el protocolo que tenga establecido y las instrucciones que nos dé el personal sanitario.

● Preservar la esterilidad de los instrumentos y materiales, evitando su contacto con cualquier superficie «sucia».

● Depositar los residuos rápidamente en las bolsas o contenedores y no tocar a la persona ni materiales estériles después de manipularlos.

 ## Actividades

Mapa de árbol      Diagrama de flujo circular      Infografía      Mapa de burbujas expandidas      Vídeo

4. Elabora un **mapa de árbol** que muestre los tipos de microorganismos y las principales características de cada uno de ellos.

5. ¿Qué es un patógeno oportunista? Pon tres ejemplos de personas en situaciones que las puedan hacer sensibles a sufrir una infección causada por este tipo de microorganismos.

6. Un microorganismo patógeno tiene un mecanismo de transmisión indirecta. El contagio se produce por la picadura de un mosquito, que anteriormente ha picado a una persona infectada. Elabora un **diagrama de flujo circular** que muestre la cadena epidemiológica de esta enfermedad.

7. En grupos de cuatro, revisad los diagramas de flujo circular que habéis realizado en la actividad anterior y valorad qué medidas se podrían adoptar para romper esa cadena de transmisión. Individualmente, añadid esas medidas sobre vuestro diagrama.

8. Elabora una **infografía** que muestre cómo se desarrollan la transmisión directa y la transmisión indirecta de microorganismos.

9. Di si es cierto o no, en relación con una persona portadora de una enfermedad infecciosa. Argumenta cada repuesta.

   a) Una persona portadora no puede transmitir la enfermedad.

   b) Siempre se trata de personas que han sido vacunadas contra esa enfermedad.

   c) Solo se dan casos de personas portadoras en enfermedades de transmisión directa.

   d) La fase clínica de la enfermedad es más larga en una persona portadora que en una persona que sufra la enfermedad.

10. Las medidas de higiene que ayudan a evitar las infecciones se aplican en distintos ámbitos. Elabora un **mapa de burbujas expandidas** que muestre los ámbitos de aplicación y, para los que sea posible, incluye al menos un ejemplo de medidas en ese ámbito.

11. Atiendes en su domicilio a un hombre cuyo estado de salud es muy frágil. Indicas a su pareja que debería realizar una higiene de manos antes de entrar en la habitación, pero no consigues que aprenda el procedimiento. Decides grabar un vídeo, para que pueda ir viéndolo y practicando. En grupos de cuatro, elaborad un **vídeo** que explique los pasos de una higiene de manos con PBA.

# 3.3. El cuidado de la salud del personal

**Tarea 4**
La protección

Las características del entorno se deben cuidar para proteger la salud de las personas usuarias. Pero además es necesario tener en cuenta que estas características influyen también en la salud del personal.

## 3.3.1. La protección frente a infecciones

Podemos diferenciar dos categorías de medidas de protección frente a infecciones:

- **Medidas de protección colectivas**. Actúan sobre el colectivo, evitando la proliferación de microorganismos y la formación de reservorios.

  De forma general, se basan en aplicar métodos de limpieza, desinfección y esterilización, según corresponda, a espacios, mobiliario, instrumental, equipos, aire, agua, etc.

  También en establecer protocolos que preserven las condiciones higiénicas en los distintos procedimientos y actividades.

- **Medidas de protección individuales**. Se trata de elementos que protegen a la persona que los utiliza, como los guantes y las mascarillas.

## 3.3.2. Medidas de protección individuales

Los distintos elementos de protección individual protegen a la persona que los utiliza, pero también a las personas a las que esta atiende.

### ›› El uniforme y el calzado

En el trabajo no se deben usar la ropa y el calzado de la calle. Es recomendable usar *uniforme* o, al menos, una bata sobre la ropa y cambiarse el *calzado*.

#### › El uniforme

Los centros proporcionan uniformes a su personal y disponen de vestuarios para que se pueda proceder al cambio de ropa. El equipamiento suele consistir en pantalones y chaqueta.

En algunos centros o en ámbitos domiciliarios se recurre al uso de una bata colocada sobre la ropa de calle. En estos casos es importante llevarla abrochada y disponer de recambio para sustituirla si se mancha.

#### › El calzado

El calzado también es recomendable cambiarlo, tanto para evitar contaminaciones como para trabajar con más comodidad y prevenir lesiones. Se recomienda usar calzado cómodo y que, además:

**Fig. 3.6.** Los centros residenciales suelen proporcionar uniformes a su personal.

- Vaya sujeto al pie, para evitar que el pie se salga y la persona se caiga o se tuerza el tobillo.

- Sea cerrado, para proteger de salpicaduras y golpes.

- Tenga suela antideslizante, para evitar resbalones y permitir un buen apoyo al realizar movilizaciones u otras actividades que requieren un esfuerzo físico.

## ❯❯ El equipo de protección individual

Por otra parte, distintas intervenciones exigen el uso de elementos de protección individual, como guantes o mascarillas.

> El conjunto de elementos de protección individual conforma el **equipo de protección individual** (EPI).

Los principales elementos de protección son, en orden de colocación: las *calzas*, los *gorros*, las *mascarillas*, las *gafas* o las *pantallas*, la *bata* y los *guantes*.

### ❯ Las calzas

Las calzas son unas bolsas de plástico con una tira de goma elástica en los bordes que se colocan sobre el calzado de trabajo. Deben usarse en situaciones en que hay mayor riesgo de infección o para acceder a determinadas zonas, que estarán debidamente señalizadas.

---

Procedimiento 3.3.
**Colocación y retirada de unas calzas**

**Materiales**
- Gel hidroalcohólico
- Calzas

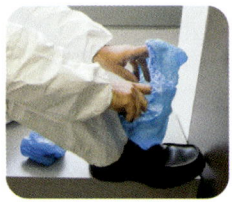

**Pasos que seguir**

**Colocación**
1. Realiza una higiene de manos.
2. Extiende una calza asiéndola por la goma en la zona que corresponde al lateral del pie, y ajústala sobre tu calzado.
3. Repite el procedimiento con la otra calza.

**Retirada**
1. Sujeta una calza por las gomas, en los laterales del pie, y retírala girándola sobre sí misma. Deposítala directamente en el contenedor.
2. Repite el procedimiento con la otra calza. Realiza una higiene de manos.

---

### ❯ El gorro

Llevar el cabello recogido a veces no es suficiente y se debe aumentar la protección usando un gorro. Su función es cubrir todo el cabello, especialmente en el área de la frente y en los bordes de la cara.

---

Procedimiento 3.4.
**Colocación y retirada de un gorro**

**Materiales**
- Gel hidroalcohólico
- Gorro

**Pasos que seguir**

**Colocación**
1. Realiza una higiene de manos.
2. Extiende el gorro asiéndolo por la zona de la goma en extremos opuestos, colócalo sobre tu cabeza y ajústalo.

**Retirada**
1. Introduce los dedos por dentro del gorro, por detrás de las orejas, y arrástralo hacia arriba, girándolo sobre sí mismo. Deposítalo directamente en el contenedor.
2. Realiza una higiene de manos.

> ### Las mascarillas

La mascarilla es una pieza que se coloca cubriendo la boza y la nariz, con una tira de goma en cada uno de sus extremos para sujetarla.

Las mascarillas suelen tener una pieza para ajustarlas a la nariz, que debemos oprimir para que la mascarilla quede bien sujeta. El objetivo es que no queden zonas libres por las que el aire pueda entrar o salir directamente.

---

Procedimiento 3.5.
## Colocación y retirada de una mascarilla

### Materiales
- Gel hidroalcohólico
- Mascarilla

### Pasos que seguir

**Colocación**
1. Realiza una higiene de manos.
2. Sujeta la mascarilla por las tiras y pásalas por detrás de las orejas o anúdalas tras la cabeza. Ajusta la pieza de la nariz y acomoda la zona de la barbilla.

**Retirada**
1. Sujeta las tiras de la mascarilla o desátala y retírala. Deposítala directamente en el contenedor que corresponda. Realiza una higiene de manos.

---

Existen distintos tipos de mascarillas, dependiendo del tipo de agentes frente a los que protejan. Las más comunes en un entorno sociosanitario son:

- **Mascarillas quirúrgicas**. Son las más comunes. Se utilizan para evitar la transmisión de agentes infecciosos por parte de la persona que la lleva, de forma que protegen a las personas usuarias.

- **Mascarillas protectoras**. Se utilizan para proteger al personal sanitario. Las hay de distintos tipos; las más conocidas con las FFP2.

> ### Las gafas y las pantallas

Las gafas y las pantallas se utilizan durante procedimientos que pueden generar salpicaduras o líquidos pulverizables de sangre, fluidos orgánicos, secreciones y excreciones.

---

Procedimiento 3.6.
## Colocación y retirada de gafas o pantallas faciales

### Materiales
- Gel hidroalcohólico
- Gafas o pantallas faciales

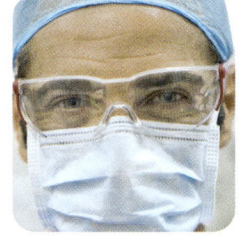

### Pasos que seguir

**Colocación**
1. Realiza una higiene de manos. Sujeta las gafas por ambas patillas, o la pantalla por sus extremos superiores. En ambos casos, evita tocar la zona central.
2. Coloca las gafas sobre tus orejas o la pantalla alrededor de la cabeza, a la altura de la frente. En el caso de la pantalla, deberás ajustar la cinta posterior para ajustar su medida.

**Retirada**
1. Sujeta las gafas por ambas patillas, o la pantalla por sus extremos superiores y retírala.
2. Deposítala directamente en el contenedor que corresponda. Realiza una higiene de manos.

### > La bata

Se trata de una bata, generalmente desechable, que se coloca sobre la ropa de trabajo. Se debe cambiar cada vez que se manche o tras realizar procedimientos durante los cuales se puedan generar salpicaduras.

Las batas que usa el personal técnico suelen ser no estériles, aunque en ciertas ocasiones se le puede requerir que use una bata estéril. Las batas estériles se presentan empaquetadas para preservar su esterilidad hasta el momento de usarla. Es imprescindible proceder correctamente para evitar contaminarlas al sacarlas de la bolsa o durante su colocación.

---

Procedimiento 3.7.
**Colocación y retirada de una bata no estéril**

Retirada de bata y guantes

**Materiales**
- Gel hidroalcohólico
- Bata

**Pasos que seguir**

**Colocación**
1. Realiza una higiene de manos.
2. Sujeta la bata por el cuello y extiéndela sin agitar.
3. Pasa un brazo por la manga correspondiente y luego haz lo mismo con el otro.
4. Ajusta la bata y anuda las cintas del cuello.
5. Anuda las cintas de la cintura.

**Retirada**
1. Desanuda las cintas de la cintura y del cuello, tocando solo las cintas y sin tocar la zona delantera de la bata.
2. Sujetando la bata por los hombros (cada mano toma la bata del hombro opuesto), arrastra la bata hacia delante y retira los brazos haciendo que la bata quede del revés.
3. Repliega la bata, haciendo que la cara interior (la que había estado en contacto con tu cuerpo) quede hacia fuera y deposítala en el contenedor que corresponda. Realiza una higiene de manos.

---

Procedimiento 3.8.
**Colocación de una bata estéril**

Colocación de bata y guantes estériles

**Materiales**
- Paños estériles
- Bata estéril

**Pasos que seguir**

**Colocación**
1. La persona que asiste dispone un paño estéril sobre una mesa para crear una zona limpia y prepara el material sobre ella:
   - Abre el paquete de la bata y la deja caer sobre la zona limpia. El paquete incluye paños estériles para el secado de las manos.
   - Retira el envoltorio exterior de los guantes y deja el interior sobre la zona limpia.
2. La persona que se va a vestir realiza un lavado de manos y se las seca usando los paños incluidos en el paquete de la bata.
3. La persona que se va a vestir:
   - Sujeta la bata por la parte interior del cuello y, sin tocar en ningún momento el exterior de la bata, la levanta para que se despliegue sola.
   - Pasa los brazos por el interior de las mangas.

Procedimiento 3.8. (cont.)
## Colocación de una bata estéril

4. La persona que la asiste la ayuda a acomodar la bata y a atarla. Para atar la bata:
   - Cierra el velcro que hay en la zona posterior del cuello.
   - En la espalda, a la altura de la cintura, anuda la cinta interior.
   - Sujeta el cartón que le ofrece la persona que se está vistiendo. El cartón está en la zona delantera, a la altura de la cintura, y sujeta la cinta exterior.
   - Mantiene el cartón sujeto mientras la persona que se está vistiendo gira sobre sí misma para que la cinta rodee su cintura.
   - Devuelve el cartón a la persona que se está vistiendo, que lo separará de la cinta y seguidamente anudará los extremos de la cinta exterior.

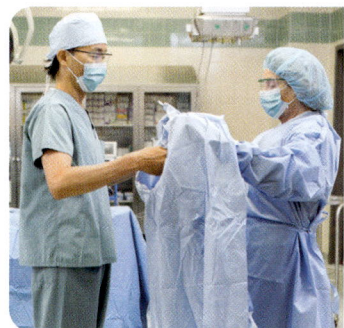 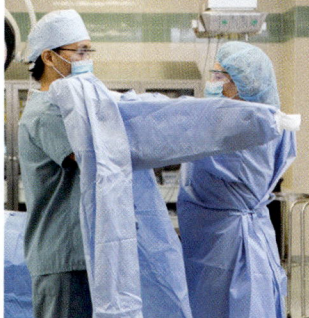 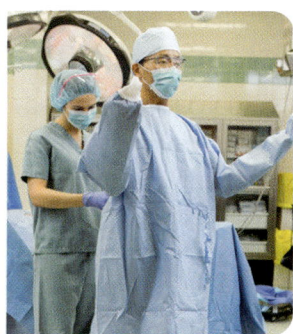

### Retirada

La retirada se realiza como en el caso de las batas no estériles.

## › Los guantes

El uso de guantes es una estrategia de protección para personal y personas usuarias ampliamente extendida desde hace muchos años.

En la mayoría de los procedimientos que lleva a cabo el personal técnico no es necesario usar guantes estériles, aunque para ayudar en algunos procedimientos los guantes sí deben ser estériles.

Procedimiento 3.9.
## Colocación y retirada de unos guantes no estériles

**Materiales**
- Gel hidroalcohólico
- Guantes

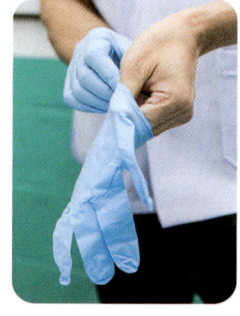

**Pasos que seguir**

**Colocación**
1. Realiza una higiene de manos.
2. Toma el guante izquierdo con la mano derecha sujetándolo por la zona de la muñeca y sin manipular el resto del guante. Introduce la mano izquierda en él. Haz lo mismo con el otro guante.

**Retirada**
1. Toma el guante izquierdo con la mano derecha sujetándolo por la zona de la muñeca y sin manipular el resto del guante. Arrástralo para retirarlo de forma que quede del revés.
2. Sin soltar el primer guante, haz lo mismo con el otro. Quedarán ambos guantes del revés, y uno dentro de otro.
3. Deposítalos en el contenedor que corresponda. Realiza una higiene de manos.

## ¡Tenlo en cuenta!

- Con las manos enguantadas, tocar solo los objetos o superficies imprescindibles.
- Sustituir los guantes siempre que se piense que se han contaminado.
- No tocarse los ojos, la nariz, las mucosas ni la piel con las manos enguantadas.
- Realizar una higiene de manos antes de ponerse los guantes y después de quitárselos.
- Es recomendable usar doble guante cuando se van a manipular objetos punzantes o cortantes.

---

Procedimiento 3.10.
### Colocación y retirada de unos guantes estériles

Colocación de guantes estériles

### Materiales

- Gel hidroalcohólico
- Paño estéril
- Guantes estériles

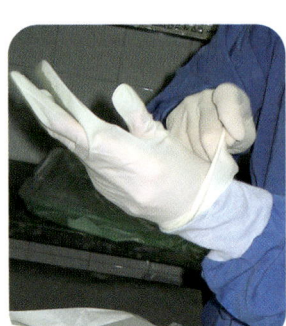

### Pasos que seguir

**Colocación**

1. Realiza una higiene de manos.
2. Prepara una zona limpia, colocando un paño estéril sobre una superficie.
3. Retira el envase exterior de los guantes y deposita el interior sobre la zona limpia.
4. Abre el envoltorio interior, asiéndolo por las solapas de que dispone. Los guantes quedan a la vista y se puede observar que la zona superior de ambos está vuelta («dobladillo»).
5. Realiza una higiene de manos.
6. Con la mano derecha, toma el guante izquierdo por el exterior del dobladillo y sujétalo mientras introduces la mano izquierda en él.
7. Con la mano izquierda, ya enguantada, toma el guante derecho por el interior del dobladillo y sujétalo mientras introduces la mano derecha en él.
8. Extiende los dos dobladillos, introduciendo en cada caso los dedos de la otra mano por el interior del dobladillo y arrastrando hacia arriba.

**Retirada**

1. Con la mano derecha, sujeta el guante izquierdo a la altura de la muñeca. Arrástralo para retirarlo, de forma que quede del revés.
2. Sin soltar el guante ya retirado, introduce un dedo de la mano desenguantada por la zona superior del otro guante y arrastra para retirarlo, de forma que quede del revés y con el otro guante en su interior.
3. Deposítalos en el contenedor que corresponda.
4. Realiza una higiene de manos.

## ¡Tenlo en cuenta!

La retirada de los EPI también se realiza siguiendo un orden. La recomendación es la siguiente:

1. Retirar los guantes.
2. Retirar la bata.
3. Realizar una higiene de manos.
4. Retirar las gafas o la pantalla.
5. Retirar la mascarilla.
6. Realizar una higiene de manos.
7. Retirar el gorro.
8. Retirar las calzas.
9. Realizar una higiene de manos.

**Actividades**

**12.** Plantea tres medidas de protección frente a infecciones que sean colectivas y otras tres que sean individuales, en el contexto de un centro residencial para personas mayores. Seguidamente, valora si son aplicables a nivel domiciliario.

**13.** Practica la colocación y retirada de guantes no estériles y de guantes estériles.

**14.** Al ponerse unos guantes estériles, el primer guante se sujeta por el exterior del dobladillo mientras que el segundo se sujeta por el interior del dobladillo. ¿Por qué?

**15.** Al retirar los EPI, los giramos para que la zona que ha estado en contacto con nuestro cuerpo sea la que quede en el exterior. Justifica por qué se hace así.

**16.** Para aplicar un procedimiento, las indicaciones incluyen usar gorro, mascarilla, gafas y guantes. El último elemento que te deberás poner son los guantes. ¿Por qué?

 **RETO 3.1**
**Preparar los espacios para una asistencia domiciliaria**
**Tarea final:** Elaboración de un informe sobre las condiciones de la habitación.

## ¿Qué sabes ahora de...?

Reflexiona y valora tus conocimientos respecto a cada una de las siguientes cuestiones:

- ¿Sabes qué es la higiene ambiental y cuáles son sus objetivos?
- ¿Sabes por qué la higiene ambiental ayuda a evitar las infecciones?
- ¿Sabes qué es un reservorio, en el contexto de las enfermedades infecciosas?
- ¿Sabes cómo se colocan unos guantes estériles?

 Ni idea

 Me suena

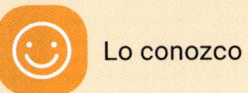 Lo conozco

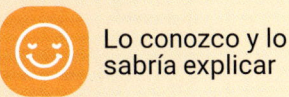 Lo conozco y lo sabría explicar

## ¿Qué sabes de...?

- ¿Sabes para qué sirven los detergentes? ¿Y los desinfectantes?
- ¿Sabes qué técnicas de esterilización existen?
- ¿Sabes cómo limpiar y desinfectar un tensiómetro?
- ¿Sabes qué es un carro de curas?

### ★ RETO 1
Daniel debe limpiar un carro de curas

1. La higienización

2. Limpieza, desinfección y esterilización

La higienización de materiales

3. Higienización de materiales de uso común

# 4.1. La higienización

> La **higienización** consiste en la eliminación de microorganismos hasta niveles aceptables.

El espacio, superficie u objeto sobre el que se realice y el uso que se le va a dar condicionan el nivel de higienización requerido. Por ejemplo, unas pinzas que se usan para hacer curas no pueden tener ningún tipo de microorganismo, mientras que en el mando a distancia de un televisor es normal que haya un cierta cantidad de microorganismos no patógenos. Los procedimientos de higienización que se deben aplicar en cada caso están establecidos en los distintos protocolos.

## 4.1.1. Limpieza, desinfección y esterilización

Existen tres tipos de procedimientos, que proporcionan distintos niveles de higienización:

Procesos de higienización

- **Limpieza**. Consiste en eliminar la suciedad. No implica la destrucción de microorganismos, aunque al reducir la suciedad también se reduce la carga de microorganismos presentes. La limpieza puede realizarse sola, pero además es un primer paso imprescindible cuando se va a proceder a desinfectar o esterilizar.

**Tarea 3**
Retirada de los materiales sucios

- **Desinfección**. Es el procedimiento que destruye la mayoría de los microorganismos de un objeto, material o superficie. Se diferencian tres niveles de desinfección, según sobre qué microorganismos se actúe:

  - **Desinfección de intensidad alta**. Destruye bacterias, hongos y virus, y la mayoría de las esporas.

  - **Desinfección de intensidad media**. Destruye las bacterias y la mayoría de los virus y hongos, pero no las esporas.

  - **Desinfección de intensidad baja**. Destruye la mayoría de las bacterias y algunos virus y hongos. No destruye las esporas.

- **Esterilización**. Es el procedimiento que destruye todos los microorganismos presentes. Por su agresividad, nunca se puede aplicar sobre tejidos vivos.

A lo largo de esta unidad de trabajo estudiaremos las principales técnicas de limpieza, desinfección y esterilización.

---

**Documento 4.1.**
**Materiales desechables y materiales reutilizables**

Es interesante diferenciar los materiales según sean desechables o no, ya que ello determina si es necesario higienizarlos o no:

- **Materiales desechables**. Son de un solo uso y esta condición está especificada en su etiquetaje. Una vez usados, estos materiales se depositan en el contenedor que corresponda, según sus características y los riesgos específicos que puedan conllevar.

- **Materiales reutilizables**. En este grupo se incluye prácticamente todo el instrumental que se usa en las curas y en otros procedimientos. También suelen ser reutilizables materiales de uso común, como cuñas o bateas.

Una vez usados, estos materiales se limpian y seguidamente se desinfectan o se esterilizan, según corresponda.

### 4.1.2. Los residuos

Un aspecto importante en el mantenimiento de las condiciones higiénicas es la correcta gestión de los residuos, ya que estos pueden actuar como reservorios de microorganismos.

La retirada de los residuos debe hacerse:

● Preferentemente, en cuanto se genera el residuo. Los distintos residuos que se van generando durante la realización de los distintos procedimientos se deben ir depositando directamente en las bolsas o contenedores que corresponda, y no dejarlos en el suelo o sobre superficies.

Esto supone que al preparar los materiales para realizar un procedimiento se debe prever qué residuos se generarán y preparar las bolsas o contenedores necesarios.

● Aplicando el sistema de clasificación de residuos. Existen distintos tipos de residuos, que seguirán distintas vías de eliminación o reciclaje. Clasificar los residuos desde el primer momento evita tener que realizar manipulaciones posteriores, lo que reduce el riesgo de accidentes.

### ➤➤ La gestión de residuos

Los centros residenciales disponen de planes de gestión de residuos en los que prevén todos los tipos de residuos que van a generar en su actividad y establecen la forma en que se deben almacenar provisionalmente y eliminar.

El personal de estos centros recibe la información necesaria sobre los tipos de contenedores que se usan en el centro y los protocolos que se deben aplicar con cada tipo de residuo.

En la asistencia domiciliaria es necesario hacer una valoración para determinar si existe algún requisito específico. En caso de que se generen residuos de tipo sanitario que requieran algún tratamiento o almacenamiento especializado, el personal sanitario proporcionará la información y, si es necesario, los recursos para hacerlos de forma correcta.

### ➤➤ Clasificación de los residuos

 Los residuos en el ámbito sanitario

Los residuos que se generan en la actividad sociosanitaria podemos clasificarlos en dos grandes grupos: *residuos urbanos* y *residuos sanitarios*.

**Fig. 4.1.** Los residuos generados se deben clasificar.

### > Residuos urbanos

Los residuos urbanos son los mismos residuos que se generan en cualquier domicilio. Tanto en centros residenciales como en la asistencia domiciliaria estos residuos se clasifican y se depositan en los contenedores municipales correspondientes (plástico y envases, cristal, papel y cartón, etc.). De allí los recogerán las empresas contratadas por el municipio.

Además, hay algunos residuos peligrosos que también tienen puntos de recogida públicos, como ocurre con los puntos de recogida de aceite doméstico usado o los contenedores para pilas.

### > Residuos sanitarios

Los residuos sanitarios se clasifican en diferentes grupos. La concreción de los grupos depende de la normativa de cada comunidad autónoma y de las normas internas del centro sanitario o sociosanitario, aunque en términos generales son los que muestra la siguiente tabla:

| Tipo de residuos | Residuos que incluye | Sistema de almacenamiento y/o eliminación más común |
|---|---|---|
| **Residuos sanitarios asimilables a los residuos urbanos** | Papel, cajas, botellas de agua, latas de refrescos, etc. | Sistema municipal de recogida, aplicando el sistema de clasificación de residuos que se utilice en el municipio. |
| **Residuos sanitarios inertes o no especiales** | Residuos sanitarios sólidos no infecciosos, no punzantes y no cortantes. Por ejemplo: material de curas, ropa y material de un solo uso contaminados con sangre, secreciones y/o excreciones, etc. | Sistema municipal de recogida, aplicando el sistema de clasificación de residuos que se utilice en el municipio. Se usan bolsas más gruesas que las ordinarias, de color verde o blanco. |
| **Residuos sanitarios de riesgo** | Residuos punzantes o cortantes: agujas, hojas de bisturí, etc. | En envases rígidos amarillos con la indicación de **riesgo biológico**. Los recoge una empresa autorizada. |
| | Residuos sólidos potencialmente infecciosos. | En bolsa roja con la indicación de **riesgo biológico**. Se pueden tratar y eliminar mediante sistema municipal de recogida, o los recoge una empresa autorizada. |
| | Residuos líquidos potencialmente infecciosos. | En recipientes rígidos con la indicación de **riesgo biológico**. Se tratan y se eliminan por el desagüe, o los recoge una empresa autorizada. |
| **Residuos sanitarios especiales** | Residuos radiactivos. Residuos citotóxicos. | |
| **Residuos químicos** | Formol, fijadores, reactivos, etc. | |

En la asistencia sociosanitaria se manejan principalmente residuos sanitarios asimilables a los residuos urbanos y residuos sanitarios inertes o no especiales. También se pueden generar residuos sanitarios de riesgo, principalmente de tipo punzante (lancetas, sistemas de inyección de insulina, etc.) o, si la persona usuaria tiene alguna enfermedad infecciosa, residuos potencialmente infecciosos.

En la asistencia domiciliaria encontramos otro tipo de residuos de tipo sanitario, los restos de medicamentos, que en el ámbito residencial gestiona el personal sanitario. Las farmacias disponen de puntos de recogida, denominados **puntos SIGRE**, en los que podemos depositar:

● Restos de medicamentos caducados o no utilizados y sus envases.

● Envases que han estado en contacto con medicamentos (frascos, blísteres, tubos, aerosoles, ampollas, etc.) aunque estén vacíos, dentro de su caja de cartón.

En estos contenedores se pueden depositar bolígrafos de insulina gastados o caducados, pero nunca se debe dejar la aguja colocada.

### ¡Tenlo en cuenta!

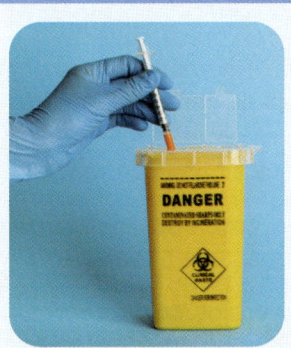

Las agujas, las lancetas y cualquier otro material punzante o cortante se deben introducir en un contenedor rígido amarillo. Estos contenedores son desechables y una empresa especializada los destruye sin abrirlos. La gestión depende de las zonas: se pueden entregar y recoger en los centros sanitarios en los que se realiza el seguimiento de la persona o bien hacerlo en algunas farmacias.

## » Normas generales de manejo de residuos

La gestión de residuos en centros asistenciales está descrita en sus documentos internos y todo el personal debe aplicarla siguiendo las pautas que le proporcionarán. En la planificación domiciliaria, y de forma general en cualquier entorno laboral, debemos tener en cuenta las siguientes normas generales:

● Utilizar guantes para evitar el contacto directo con los residuos.

● Conocer los tipos de residuos que generamos con nuestra actividad y saber cómo debemos almacenarlos y eliminarlos.

● Antes de empezar una actividad, preparar las bolsas o contenedores para residuos que necesitaremos. De esta forma, podremos ir tirando los residuos a medida que se generen y evitaremos tener que manipularlos posteriormente.

● Manejar los residuos cortantes o punzantes con la máxima precaución. No abrir nunca el recipiente rígido en el que se almacenan estos materiales ni llenarlo por encima de la línea de llenado máximo que llevan impresa.

● Aunque no tengan consideración de infecciosos, es necesario manejar con precaución las gasas, apósitos u otros materiales que tengan restos de sangre o de fluidos corporales y almacenarlos separadamente, en una bolsa gruesa.

### ¡Tenlo en cuenta!

Antes de llevar a cabo cualquier operación de limpieza debemos retirar los residuos (de la habitación, del baño, del carro de curas, etc.).

## Actividades

Mapa conceptual

**1.** Elabora un **mapa conceptual** que muestre los distintos procedimientos de higienización y sus características.

**2.** Antes de empezar una actividad debes preparar las bolsas o contenedores para residuos que necesitarás. Explica por qué y di qué puede ocurrir si no lo haces.

# 4.2. Limpieza, desinfección y esterilización

La higienización comienza siempre con una *limpieza*. En algunos entornos o con ciertos materiales, este procedimiento puede ser suficiente, pero en muchas ocasiones a continuación se realiza una *desinfección*. Algunos objetos requieren un mayor nivel higiénico, por lo que es necesario aplicarles un proceso de *esterilización* tras la limpieza.

## 4.2.1. La limpieza

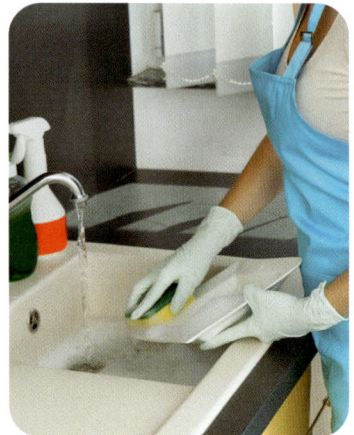

**Fig. 4.2.** La limpieza elimina la suciedad de objetos o superficies.

> La **limpieza** es un procedimiento que elimina la suciedad de un objeto o una superficie combinando la acción mecánica (frotación) con la acción química de detergentes.

La limpieza se lleva a cabo con varios objetivos:

- **Conseguir un ambiente visiblemente limpio**, que resulte agradable para las personas que trabajan en él y para las usuarias.

- **Eliminar reservorios de microorganismos**. La suciedad acumulada actúa como reservorio de distintos microorganismos, que pueden proliferar en ella. Eliminar esa suciedad es una medida necesaria para reducir el riesgo de infecciones.

- **Preparar objetos o superficies para su desinfección o esterilización**. Para que los procedimientos de desinfección y esterilización se desarrollen correctamente es necesario realizar antes una limpieza para retirar la suciedad.

### ❯❯ Los detergentes

Los productos químicos que se utilizan para realizar la limpieza son los *detergentes*.

> Los **detergentes** son mezclas de sustancias que tienen la capacidad de disolver la suciedad o las impurezas de un objeto sin corroerlo.

### ❯ Clasificación de los detergentes

Podemos distinguir entre tres grupos de detergentes, teniendo en cuenta su pH: *alcalinos*, *ácidos* y *neutros*.

- **Detergentes alcalinos**. Tienen un pH básico, superior a 7. Son eficaces en la eliminación de la mayor parte de las suciedades de naturaleza orgánica: proteínas, grasas, azúcares, algunos almidones...

- **Detergentes ácidos**. Tienen un pH ácido, inferior a 7. Estos detergentes facilitan la eliminación o la solubilización de incrustaciones y de depósitos inorgánicos o minerales, como los residuos calcáreos o restos de óxido.

- **Detergentes neutros**. Tienen un pH cercano a 7. Se utilizan cuando la suciedad no está muy incrustada o es fácilmente emulsionable. También si el procedimiento de limpieza incluye una acción mecánica intensa o una inmersión prolongada. Entre ellos destacan los **detergentes enzimáticos**, que incluyen enzimas y son los más habituales para los lavados manuales en los entornos sanitarios.

**Documento 4.2.**
## Los riesgos de los productos químicos

Pictogramas del etiquetado
de productos químicos

El Sistema globalmente armonizado (SGA) de clasificación y etiquetado de productos químicos establece que todos ellos deben incluir en su etiqueta pictogramas que informen sobre el riesgo que podría ocasionar su utilización. Puesto que los detergentes (y también los desinfectantes, los antisépticos, etc.) son productos químicos, sus etiquetas incluyen estos pictogramas.

Pictogramas de peligro

### > Selección del detergente

En la selección del detergente más adecuado se tienen principalmente en cuenta:

- La composición del material que se va a limpiar, para evitar que el detergente pueda dañarlo.
- La técnica de limpieza que se va a aplicar y la temperatura a la cual se realizará el proceso.
- El tipo de suciedad que se debe eliminar.

## >> Técnicas de limpieza

La limpieza se puede realizar de forma *manual* o de forma *automatizada*.

### > La limpieza manual

Los objetos que se pueden sumergir en agua se pueden limpiar en un fregadero usando agua y detergente (Proc. 4.1).

---

**Procedimiento 4.1.**
## Lavado manual con un detergente enzimático

El lavado manual

**Materiales**

- Delantal plastificado
- Guantes de goma
- Detergente enzimático
- Cepillo o estropajo
- Paños

**Pasos que seguir**

1. Ponte un delantal plastificado o una bata plastificada y guantes de goma.
2. Prepara la solución detergente, mezclando en un recipiente las cantidades que corresponda de agua y detergente enzimático.
3. Deposita los objetos en el recipiente y deja que la solución actúe. El tiempo de espera suele ser de unos 5 minutos.
4. Frota bien cada objeto con un cepillo o estropajo limpio, bien humedecido con la solución detergente.
5. Aclara bien con agua corriente.
6. Deja secar el material en un soporte adecuado o sécalo con un paño desechable o con uno reutilizable limpio que no suelte fibras.
7. Quítate el delantal o la bata y los guantes y lávate las manos.

---

Los objetos que no pueden sumergirse en agua se limpian mediante una limpieza por loción (Proc. 4.2). La limpieza por loción también se puede aplicar para limpiar superficies, como mesas o carros. En este caso se usa un cubo con agua y detergente y una bayeta limpia, que se usa bien escurrida. Es importante:

- Frotar desde arriba hacia abajo. De esta forma, si caen partículas lo harán sobre la parte que está pendiente de limpiar.

- Frotar desde dentro hacia fuera. De esta forma, la suciedad se arrastra hacia el exterior.

- Frotar desde lo limpio hacia lo sucio. Si lo hacemos al revés, arrastraríamos la suciedad desde la zona sucia hacia la que no lo está.

---

Procedimiento 4.2.
### Limpieza por loción

**Materiales**

- Guantes de goma
- Cubo con agua con detergente
- Bayeta
- Papel o paño

**Pasos que seguir**

1. Ponte unos guantes de goma.
2. Humedece la bayeta con el agua con detergente y escúrrela muy bien.
3. Frota una parte del objeto con la bayeta.
4. Limpia la bayeta en el cubo, escúrrela y limpia otra parte del objeto. Repetir el proceso hasta haber limpiado todo el objeto. Si es muy grande o está muy sucio, puedes usar dos cubos: uno con agua con detergente, y otro con agua sola, para ir limpiando la bayeta en él.
5. Seca bien con papel o con un paño limpio.
6. Quítate los guantes y lávate las manos.

---

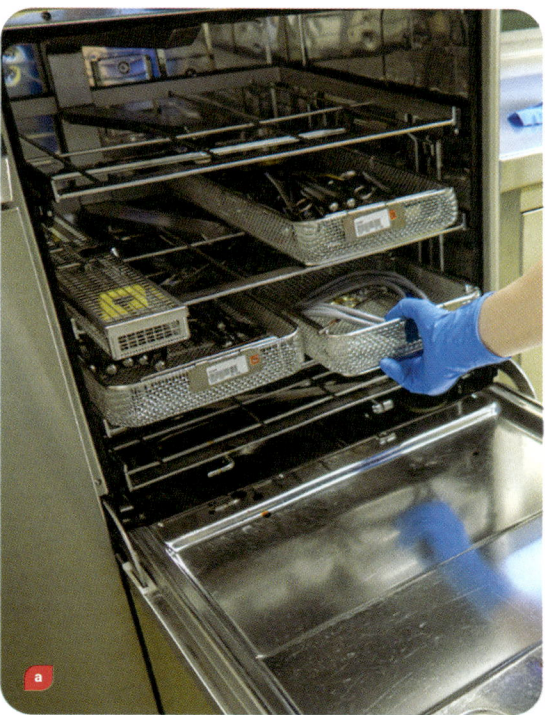

## > La limpieza automatizada

La limpieza se puede realizar usando máquinas. Los distintos tipos de *lavadoras* son las más comunes; también se usan los *baños de ultrasonidos*.

- **Lavadoras**. Existen distintos tipos de lavadoras, adaptadas para diversos usos. Hay, por ejemplo, lavadoras para textiles, para instrumental, para limpiar carros, para cuñas o para ciertas mascarillas. La principal diferencia entre los distintos tipos de lavadoras es la capacidad y el tipo de *racks*, cestillos o bandejas de que disponen, que tienen tamaños y formas adecuados al tipo de material que se va a introducir en ellas.

- **Baños de ultrasonidos**. Son particularmente útiles para la limpieza de instrumentos que tienen partes o recodos de difícil acceso.

  El equipo consta de una cubeta con una solución de agua y detergente, en la cual se introducen los objetos sucios. Al poner el equipo en marcha se generan ultrasonidos que hacen que la suciedad se desprenda.

La limpieza automatizada es el procedimiento recomendado, ya que:

- Proporciona la garantía de que cada lavado cumplirá con los requisitos establecidos.

- Minimiza la manipulación de material sucio por parte del personal, lo que reduce los riesgos físicos y biológicos.

**Fig. 4.3.** Lavadora para instrumental (a) y baño de ultrasonidos (b).

## ›› Validación de la limpieza

Antes de dar por completado un procedimiento de limpieza es necesario verificar que este se ha realizado correctamente. La validación requiere evaluar:

- Los **productos** que se han utilizado, en este caso, que el detergente era adecuado para el tipo de material y suciedad con que se ha utilizado. También se tiene en cuenta la calidad del agua.

- Los **procedimientos** que se aplican. En la limpieza manual se confirma que se ha aplicado el protocolo; en la automatizada, que la temperatura, duración, etc., del proceso han sido los previstos.

- Los **resultados** que se obtienen. Se observa que no queden restos de suciedad, jabón o agua, que no se haya formado velo blanco, etc.

## 4.2.2. La desinfección

> La **desinfección** es el procedimiento que destruye la mayoría de los microorganismos de un objeto, material o superficie.

La desinfección puede conseguirse mediante distintos métodos *físicos* y *químicos*. Sea cual sea el método escogido, para que el procedimiento sea efectivo previamente debemos lavar el material o la superficie.

### ›› Métodos físicos de desinfección

Algunos de los más comunes son el *calentamiento* y la *irradiación con ultravioleta*. También se pueden usar baños de ultrasonidos, añadiendo una solución desinfectante a la cubeta en lugar de una solución detergente.

- **Calentamiento**. Existen diferentes métodos que utilizan el calor:

  - **Pasteurización**. Consiste en sumergir un objeto en agua a unos 70 °C durante 10 minutos. Este procedimiento consigue eliminar las bacterias y la mayoría de los virus, hongos y protozoos.

  - **Ebullición**. El objeto se sumerge en agua hirviendo (100 °C) y se mantiene la ebullición durante 10 minutos, con lo que se consigue una desinfección de nivel más elevado.

  - **Planchado**. La ropa se puede desinfectar planchándola a 100-150 °C durante 15 segundos.

- **Irradiación con ultravioleta**. Las lámparas de radiación ultravioleta se emplean principalmente para desinfectar superficies de trabajo.

### ›› Métodos químicos de desinfección

El método de desinfección más habitual se basa en el uso de *desinfectantes*.

> Denominamos **desinfectante** a la sustancia química que empleamos para desinfectar y que puede aplicarse sobre material inerte sin alterarlo de forma apreciable.

Existe una gran variedad de productos químicos que tienen acción desinfectante. Algunos se usan directamente, como la lejía (solución de hipoclorito sódico), el alcohol etílico o el agua oxigenada, aunque lo más habitual es recurrir a productos comerciales que combinan uno o varios desinfectantes y otros agentes en su composición.

## > La preparación de soluciones desinfectantes

Los desinfectantes se utilizan en solución. A menudo la presentación comercial tiene una concentración mayor que la recomendada para su uso, por lo que es necesario añadir agua (diluir) para obtener la concentración de uso recomendada.

La preparación de soluciones diluidas exige:

● Verificar la concentración que tiene el producto comercial.

● Verificar la concentración que debe tener la solución desinfectante.

● Teniendo en cuenta el volumen que se va a preparar, calcular los volúmenes de producto comercial y agua que se deben mezclar.

Las diluciones realizadas, que son las soluciones desinfectantes que se usarán:

● Se disponen en recipientes limpios. Un recipiente vacío o con producto caducado se debe limpiar y secar bien antes de volver a usarlo.

● Se tapan bien.

● Se etiquetan indicando el producto, la concentración, la fecha de activación y la fecha de caducidad, así como el nombre de la persona que lo ha preparado.

## > Precauciones generales en el uso de desinfectantes

De forma general adoptaremos las siguientes precauciones en el uso de desinfectantes:

● Usar guantes para manipularlos, ya que todos irritan la piel y las mucosas en distintos grados.

● Prestar atención a las advertencias sobre los riesgos respiratorios, ya que algunos pueden producir vapores tóxicos.

● No mezclar desinfectantes, salvo que así lo indique el protocolo de limpieza y desinfección que se vaya a aplicar.

● No cambiar los desinfectantes de envase. Si se hace, es necesario que los recipientes a los que se trasvasen sean de un material adecuado y estén bien limpios y secos. Además, se les debe adherir una etiqueta en la que conste la información relevante de la etiqueta original y la fecha en que se ha realizado el cambio de envase.

## > Técnicas manuales de aplicación de desinfectantes

Los desinfectantes se pueden aplicar mediante diversas técnicas, pero en todas ellas es imprescindible hacer una limpieza previa que retire toda la suciedad.

En esta limpieza previa a la desinfección es necesario:

- Retirar toda la suciedad, especialmente la materia orgánica. La presencia de materia orgánica inactiva algunos desinfectantes.

- Enjuagar bien para evitar que queden restos de detergente, ya que podrían interferir en la actividad del desinfectante.

- Secar bien, para retirar los restos de agua.

Seguidamente se puede realizar la desinfección. Las técnicas más habituales: *por inmersión*, *por loción* y *por pulverización*.

---

Procedimiento 4.3.
## Desinfección por inmersión

Desinfección por inmersión

### Materiales

- Guantes de goma
- Recipiente con solución desinfectante
- Papel o paño

### Pasos que seguir

1. Ponte unos guantes de goma.
2. Sumerge el objeto en la solución desinfectante durante el tiempo establecido, generalmente unos 10 minutos. Removiendo el líquido de vez en cuando conseguirás que el desinfectante llegue mejor a todos los rincones del objeto.
3. Recupera el objeto y enjuágalo con agua corriente o estéril, según los requisitos.
4. Seca bien el objeto. Quítate los guantes y lávate las manos.

---

Procedimiento 4.4.
## Desinfección por loción

Desinfección por loción

### Materiales

- Guantes de goma
- Bayeta
- Desinfectante
- Papel o paño

### Pasos que seguir

1. Ponte unos guantes de goma.
2. Humedece una bayeta con el desinfectante.
3. Frota bien todas las superficies, desde arriba hacia abajo y desde dentro hacia fuera, tal como se hace en la limpieza por loción. Si es necesario, sustituye la bayeta por otra limpia. Una opción muy cómoda es usar toallitas desechables impregnadas con desinfectante.
4. Deja actuar el desinfectante durante el tiempo establecido, generalmente sobre los 10 minutos, y seca bien con papel o con un paño limpio. Algunos desinfectantes no se deben secar, ya que tienen efecto residual y siguen actuando tras la aplicación.
5. Quítate los guantes y lávate las manos.

---

Procedimiento 4.5.
## Desinfección por pulverización

Desinfección por pulverización

### Materiales

- Guantes de goma
- Desinfectante en un pulverizador
- Papel o paño

### Pasos que seguir

1. Ponte unos guantes de goma.
2. Pulveriza el desinfectante sobre todas las superficies.
3. Deja actuar el desinfectante durante el tiempo establecido y seca bien con papel o con un paño limpio. Algunos desinfectantes no se deben secar, ya que tienen efecto residual y siguen actuando tras la aplicación.
4. Quítate los guantes y lávate las manos.

## ›› Sistemas automatizados de desinfección

Existen distintos equipos que se pueden usar para la desinfección de objetos. Podemos destacar entre ellos las *lavadoras*, *lavadoras termodesinfectadoras* y las *lavadoras desinfectadoras químicas*.

- **Lavadoras**. Las lavadoras que se usan para la limpieza también pueden realizar desinfecciones. Hay dos opciones, que se pueden aplicar separadamente o de forma conjunta:
  - Utilizar un desinfectante o un detergente-desinfectante en lugar de detergente.
  - Aplicar una temperatura elevada al proceso.

  La temperatura programada, la duración del proceso y la solución que se utilice determinarán el nivel de higienización que se consiga.

- **Lavadoras termodesinfectadoras**. Son máquinas que realizan un lavado con detergente y a continuación aplican vapor de agua para conseguir una desinfección. Solo se pueden usar con materiales que soporten temperaturas elevadas, ya que durante el proceso la temperatura supera los 80 ºC.

### ¡Tenlo en cuenta!

Algunos modelos de termodesinfectadoras están adaptados para limpiar y desinfectar materiales como cuñas, colectores de orina, bateas, frascos de aspiración de secreciones y otros similares.

**Fig. 4.4.** Termodesinfectadora para la desinfección de cuñas.

- **Lavadoras desinfectadoras químicas**. Son máquinas que limpian y desinfectan, en este caso mediante desinfección química. La temperatura que alcanzan no supera los 65 ºC y, por tanto, se pueden usar para materiales que no soportan las temperaturas que aplican las termodesinfectadoras.

## ›› Validación de la desinfección

Al igual que en el caso de limpieza, se debe verificar que la desinfección se ha realizado correctamente. La validación requiere evaluar:

- Los **productos** que se han utilizado, en este caso, que el desinfectante y la concentración que se ha aplicado eran adecuados para el tipo de material y suciedad con que se ha utilizado.

- Los **procedimientos** que se aplican. En las desinfecciones manuales se confirma que se ha aplicado el protocolo, y en la automatizada, que la temperatura, duración, concentración del desinfectante, etc., del proceso han sido los previstos. La verificación en las técnicas automatizadas resulta más sencilla, ya que los propios equipos registran los parámetros que se deben controlar.

- Los **resultados** que se obtienen. Se pueden realizar distintos tipos de pruebas o test a los materiales desinfectados, para comprobar que se ha alcanzado el nivel de desinfección deseado. Un procedimiento habitual de control es realizar periódicamente siembras a partir de muestras obtenidas de materiales o superficies acabados de desinfectar, para observar qué tipos de microorganismos proliferan. Un resultado dentro de lo esperado indica que el equipo está funcionando correctamente. En el caso de las superficies se pueden usar marcadores tipo rotulador. Los hay de diversos tipos, aunque los más comunes son los que se usan para detectar la presencia de materia orgánica.

### 4.2.3. La esterilización

> La **esterilización** es el procedimiento que destruye todos los microorganismos presentes. Por su agresividad, nunca se puede aplicar sobre tejidos vivos.

Esterilización y asepsia

Hay distintos materiales que deben ser estériles, como los instrumentos de curas, algunos apósitos, sondas, etc. También algunos elementos de los equipos de protección individual deben ser estériles en algunas circunstancias: mascarillas, guantes, batas, etc.

Actualmente hay materiales de los que deben ser estériles que son desechables, aunque muchos otros, por sus características, se deben limpiar y esterilizar tras cada uso.

**¡Tenlo en cuenta!**

En ocasiones la esterilización se aplica a materiales contaminados, para retirar los microorganismos presentes en ellos y poder gestionarlos como residuos no infecciosos.

#### ›› Preparación del material

Los materiales que se van a someter a un proceso de esterilización se deben preparar antes de aplicar el método de esterilización escogido. Primero se realiza una *limpieza* y seguidamente se procede a su *empaquetado*. En esta fase previa también se colocan *indicadores*.

- **Limpieza**. Si la limpieza previa no es correcta, no hay garantía de que la esterilización que se lleve a cabo a continuación cumpla con su objetivo.

El empaquetado

- **Empaquetado**. Los materiales que deben preservar su esterilidad durante un tiempo se esterilizan empaquetados en bolsas o cajas. Cuando el objetivo es retirar contaminación o bien el objeto se va a usar inmediatamente, se puede esterilizar sin empaquetar. Los materiales para el empaquetado dependen del objeto que se va a esterilizar y del método de esterilización. Las opciones son diversas:

    - **Contenedores con tapa**, de diversos tipos y tamaños.
    - **Bolsas mixtas**, que se suelen usar para instrumental suelto.
    - **Bolsas de papel de grado médico**, que se suelen usar para textiles.
    - **Papel crepado**, que se usa para envolver materiales voluminosos.

    - **Colocación de indicadores**. Todos los materiales y/o paquetes deberán recibir la acción del agente esterilizante durante el proceso de esterilización. Una forma de comprobar que realmente es así es colocar un indicador químico en cada paquete, que cambie de color por acción del agente esterilizante. Si al terminar la esterilización el indicador de un paquete ha cambiado de color significa que ese paquete se ha expuesto correctamente al agente esterilizante.

    También se pueden colocar indicadores dentro de los paquetes, para confirmar que el agente esterilizante ha penetrado correctamente en ellos.

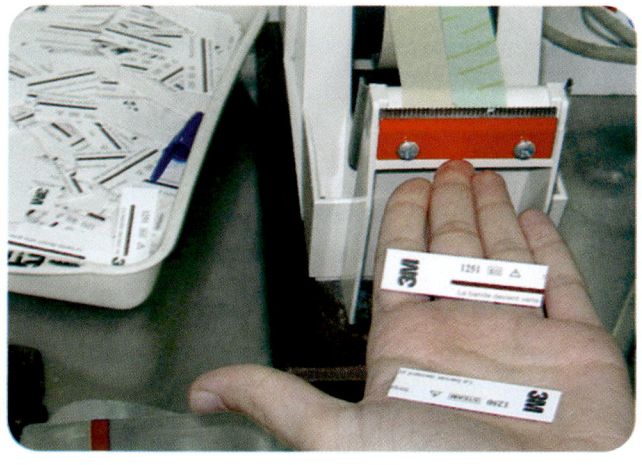

**Fig. 4.5.** Indicadores químicos.

## ➤➤ Métodos de esterilización

Los materiales preparados ya se pueden someter al proceso de esterilización seleccionado. Podemos distinguir entre *métodos físicos* y *métodos químicos*.

### ➤ Métodos físicos de esterilización

Los agentes esterilizantes son agentes físicos, como el *calor seco* y el *calor húmedo*.

- **Calor seco**. Los equipos que lo aplican son las **estufas de esterilización** o **estufas Poupinel**, que permiten programar el tiempo y la temperatura. Normalmente se aplican 200 ºC durante un mínimo de dos horas. En estos equipos se pueden esterilizar objetos de vidrio o de porcelana e instrumentos metálicos, empaquetados en cajas metálicas o en bolsas mixtas, o sin empaquetar. No pueden utilizarse para productos de plástico, goma, tejido u otros materiales que no soporten las altas temperaturas.

Esterilización con autoclave

- **Calor húmedo**. El vapor de agua calienta más rápidamente el interior de los objetos que el calor seco y se expande por toda la cubeta, de forma que el calor llega uniformemente a todas partes. Los equipos se denominan **autoclaves** y permiten usar ciclos ya programados o bien programar manualmente los distintos parámetros (temperatura, presión, tiempo de esterilización, tiempo de secado). La combinación de temperatura y tiempo más utilizada es de 134 ºC durante 5 minutos. Se suele usar para textiles, objetos de vidrio y objetos metálicos, como el instrumental.

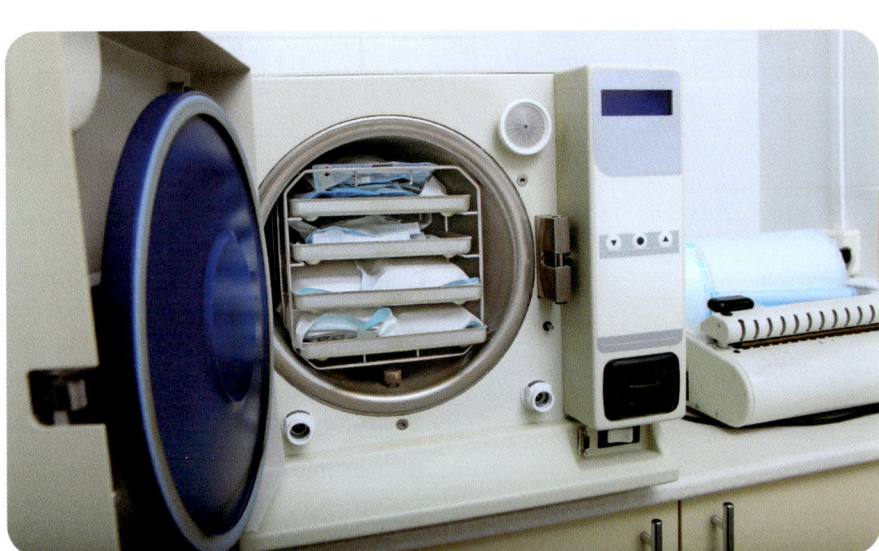

**Fig. 4.6.** Autoclave.

### ¡Tenlo en cuenta!

Aunque la duración de la esterilización en el autoclave suele ser de 5 minutos, el proceso completo es mucho más largo, ya que al tiempo de esterilización hay que añadirle antes el necesario para alcanzar la temperatura y presión interiores programadas, y después el necesario para eliminar el vapor y reducir la temperatura.

### ¡Tenlo en cuenta!

Otro agente esterilizante físico es la radiación gamma. Los esterilizadores de radiación gamma los utilizan industrias especializadas que fabrican material desechable, como catéteres intravenosos y otros materiales de plástico de un solo uso.

### › Métodos químicos de esterilización

Algunos instrumentos no soportan temperaturas elevadas, por lo que es necesario esterilizarlos en frío utilizando sustancias químicas. El problema de este tipo de esterilización es que las sustancias químicas usadas, en las concentraciones y tiempos que las hacen letales para los microorganismos, también son tóxicas para las personas, de modo que hay que usarlas con precauciones especiales.

Los principales esterilizantes químicos son el óxido de etileno, el formaldehído y el peróxido de hidrógeno. El agente esterilizante se aplica mediante esterilizadores especiales para cada agente.

#### ¡Tenlo en cuenta!

El peróxido de hidrógeno en estado de plasma es un esterilizador cuyo uso se está extendiendo, ya que no necesita calor y no requiere ventilación posterior porque no deja ningún residuo tóxico.

## ›› La garantía de esterilidad

Sea cual sea el método de esterilización empleado, es necesario evaluar que el proceso se ha realizado correctamente y se ha conseguido el nivel de esterilización previsto. Esta verificación se realiza principalmente con el *control de los equipos* y por medio de *indicadores.*

● **Control de los equipos**. Todos los esterilizadores registran una serie de parámetros que son críticos en el proceso que desarrollan: variación de la temperatura, humedad relativa, concentración del agente esterilizante, tiempo, etc.

  Una evolución de los parámetros medidos acorde al proceso que se ha desarrollado indica que este ha sido correcto, mientras que cualquier anomalía invalidará la esterilización. Además, los equipos se someten a pruebas y monitoreos de rutina, que verifican su funcionamiento.

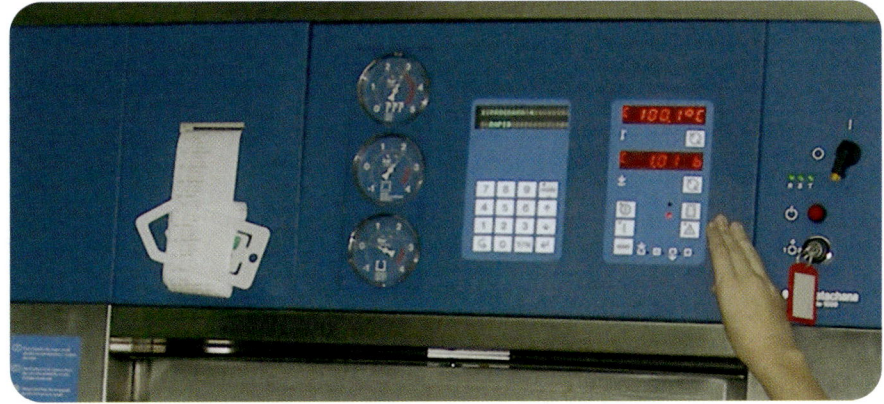

**Fig. 4.7.** Panel de un autoclave. Muestra la evolución de los parámetros e imprime una hoja de registro. Los modelos más actuales registran la información directamente en el sistema informático.

● **Uso de indicadores**. Como ya hemos explicado, al preparar los materiales para su esterilización se añaden indicadores para poder valorar, al terminar el proceso, que este se ha desarrollado correctamente. Estos son indicadores químicos.

  Además, periódicamente se usan indicadores biológicos. Se trata de preparados comerciales que contienen esporas bacterianas y que se introducen en el equipo de esterilización junto con el material. Terminado el proceso de esterilización, se incuban; si no crece nada, se considera que la esterilización ha sido correcta.

## ❯❯ La manipulación de materiales esterilizados

Los objetos esterilizados se presentan embolsados para que preserven su esterilidad hasta el momento de usarlos. Entonces:

- Verificamos que la bolsa está íntegra y que no se ha superado la fecha de caducidad de la esterilización que consta en su etiquetado.

- Abrimos la bolsa justo antes de usar el objeto, tras efectuar una higiene de manos y usando guantes.

- Una vez desembolsado, no lo depositamos sobre superficies que puedan contaminarlo.

En su manejo, tenemos en cuenta que los procedimientos en que se usan son procedimientos asépticos o limpios, por lo que aplicamos las pautas que corresponden a este tipo de procedimientos.

 ## Actividades

Mapa de árbol  Mapa de burbujas expandidas 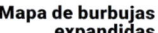 Diagrama de flujo lineal

**3.** Explica qué es la limpieza y cita los objetivos de esta operación en el entorno sociosanitario.

**4.** Elabora un **mapa de árbol** que muestre los tres tipos de detergentes según su pH y las indicaciones de cada uno de ellos.

**5.** Indica si las siguientes acciones son correctas o no. Para las que no lo son, explica por qué:

**a)** Lavas un vaso y lo secas con un paño usado que hay colgado junto al fregadero.

**b)** Vas a limpiar por loción un carro que se usa para transportar material para la higiene corporal de las personas encamadas. Lo vacías y comienzas limpiando la bandeja inferior.

**c)** Un recipiente tiene incrustaciones de cal. Decides usar un detergente alcalino para eliminarlas.

**d)** Para reducir los riesgos físicos y biológicos es preferible la limpieza automatizada que la manual.

**6.** Elabora un **mapa de árbol** u otro tipo de organizador gráfico que muestre los métodos físicos de desinfección y las principales características de cada uno de ellos.

**7.** Describe brevemente las tres técnicas de aplicación manual de desinfectantes y, para cada una de ellas, pon un ejemplo de un material que se pueda desinfectar con ella.

**8.** Cita tres equipos que se puedan usar para la desinfección de objetos y di qué método aplica cada uno de ellos para eliminar los microorganismos.

**9.** Elabora un **mapa de burbujas expandidas** que muestre los aspectos que se tienen en cuenta al hacer la validación de una desinfección.

**10.** Elabora un **diagrama de flujo lineal** que muestre las fases por las que pasa un instrumento sucio en su esterilización.

**11.** Elabora un **mapa de árbol** que muestre los principales métodos físicos de esterilización.

**12.** Di, para cada uno de los siguientes productos, cuáles se pueden esterilizar en autoclave, cuáles en estufa de esterilización y cuáles admiten ambos métodos:

**a)** Cuña de acero inoxidable.

**d)** Tubo de látex.

**b)** Mango de bisturí.

**e)** Bata de tela.

**c)** Paño para delimitar un campo estéril.

**f)** Vaso de precipitados de vidrio borosilicato.

**13.** Tras una esterilización, se observa que en un paquete el indicador químico externo ha virado, pero el interno no. ¿Qué significa este resultado?

# 4.3. Higienización de materiales de uso común

Mantener la higiene en el entorno de la persona en situación de dependencia requiere planificar y realizar tareas de higienización de *mobiliario, textiles, objetos y aparatos personales, materiales y equipos de uso sanitario, materiales de higiene y limpieza* y del *carro de curas*.

## 4.3.1. Mobiliario, textiles, objetos y aparatos personales

En los centros residenciales, los materiales incluidos en la habitación se seleccionan para que resulten adecuados a su uso y a la vez fáciles de limpiar. En el caso de los domicilios, recomendaremos que, en la medida de lo posible:

- Los muebles sean de diseño simple, sin rincones u oquedades que puedan acumular suciedad, y que estén fabricados con materiales que no sean porosos y se puedan limpiar y desinfectar sin que se estropeen.

- Las colchas y las mantas se han de poder lavar con una cierta frecuencia, por lo que es conveniente seleccionarlas de forma que quepan en la lavadora y puedan soportar temperaturas elevadas.

- La ropa personal de la persona en situación de dependencia se debería poder lavar fácilmente en casa y ser de un tejido que se arrugue poco. También se tienen en cuenta los modelos, para que resulten cómodos a la persona, atendiendo a sus necesidades y gustos.

- Si es posible, evitaremos que haya un exceso de objetos o elementos decorativos, especialmente si son complicados de limpiar correctamente. En cualquier caso, no debemos olvidar la importancia de que la persona se sienta a gusto, por lo que debemos respetar su voluntad si desea tener cerca objetos que para ella son importantes.

Al realizar la planificación de las actividades que se incluirán en la atención domiciliaria se debe concretar qué tareas de limpieza serán responsabilidad del personal técnico en atención a personas en situación de dependencia (TAPSD), así como los productos y materiales que este necesitará para llevarlas a cabo.

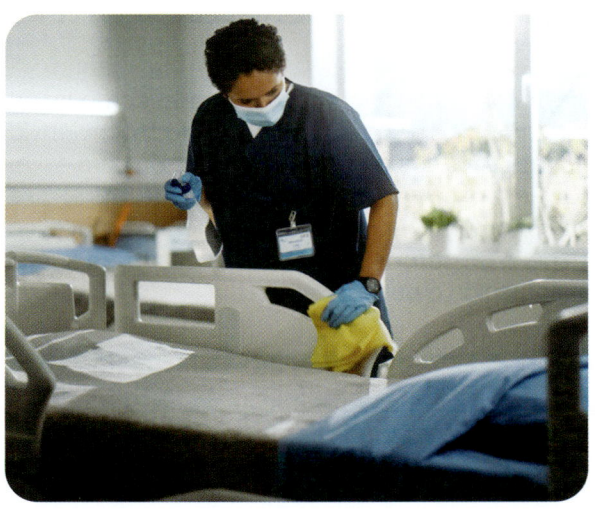

**Fig. 4.8.** Limpieza por loción.

### ›› Mobiliario

El mobiliario se debe limpiar sin usar plumeros o paños secos, para evitar poner polvo en suspensión. La técnica más adecuada es la limpieza y desinfección por loción. Las tapicerías se deben aspirar bien y se puede aplicar sobre ellas desinfectantes por pulverización especiales para este uso.

#### ¡Tenlo en cuenta!

Es conveniente que las tapicerías sean de materiales que no absorban líquidos o, si esto no es posible, que se les coloquen protectores para evitar que los rellenos se puedan impregnar.

## » Textiles

En los centros residenciales posiblemente el servicio de lavandería se ocupará del lavado de la bata o uniforme. Si tienes que lavarlo en tu casa, deberás hacerlo a temperatura elevada (60 °C) y con lejía o un desinfectante apropiado. El planchado contribuye a la esterilización de la prenda y mejora su aspecto estético.

En el caso de que debas ocuparte de la ropa blanca (sábanas y toallas) y de la ropa de la persona usuaria:

● La ropa blanca la debes lavar a temperatura elevada y con lejía o un desinfectante apropiado. No sacudas la ropa antes de lavarla y guárdala en un lugar protegido tras hacerlo.

● Las colchas y las mantas se lavan en la lavadora. Evita sacudirlas, especialmente cuando están sucias, porque pondrías en suspensión el polvo o la suciedad que contengan.

● La ropa personal la tendrás que lavar siguiendo las instrucciones de lavado de su etiqueta.

**Fig. 4.9.** La ropa limpia se debe proteger para evitar su contaminación.

**¡Tenlo en cuenta!**

Los requisitos concretos del tipo de ropa y de su limpieza dependen de cada situación: si la persona está encamada, si tiene una enfermedad infecciosa, si sufre incontinencia, si come en la cama, etc. Y también de otros factores, como la temperatura ambiental o los hábitos de la persona. Si existen requisitos especiales derivados de procesos patológicos, el personal sanitario te informará de ello.

## » Objetos personales

Todos objetos personales deben mantener un nivel de higiene adecuado. Cuando sea posible, se hace un lavado y desinfección a máquina o con lavavajillas; si las características del objeto no lo permiten, se hace un lavado y desinfección manual.

## » Aparatos eléctricos

En la habitación de una persona encamada podemos encontrar aparatos eléctricos de uso común como televisores, radios, radiadores o equipos de aire acondicionado. En cada caso debemos leer y aplicar las instrucciones que acompañan al equipo, y que informan sobre los procedimientos de limpieza y mantenimiento recomendados.

Antes de limpiar cualquier aparato que vaya conectado a la corriente, lo desenchufamos para protegernos del riesgo de sufrir una electrocución. Si es un equipo que lleva pilas, las retiramos o prestamos atención para evitar que el compartimento en que estas se encuentran se moje. La limpieza se hace por loción, usando un paño humedecido en agua jabonosa muy bien escurrido y secando con papel o un paño limpio. Si es necesario, se puede desinfectar a continuación por loción o pulverización.

**¡Tenlo en cuenta!**

No olvides limpiar y desinfectar los mandos a distancia, que pueden acumular fácilmente mucha suciedad, ya que pasan de unas manos a otras. Para facilitar la limpieza y evitar la acumulación de suciedad es preferible utilizar mandos de membrana antes que mandos con botonera.

## 4.3.2. Materiales y equipos de uso sanitario

En las habitaciones podemos encontrar distintos materiales y equipos de uso sanitario: inhaladores, mascarillas, bolígrafos de insulina, tensiómetros, glucómetros, equipos de oxigenoterapia domiciliaria, etc.

En la asistencia residencial, los protocolos internos informarán de la forma en que se debe proceder para realizar la limpieza y mantenimiento de estos materiales y equipos. Y en el caso de la atención domiciliaria, el personal sanitario responsable proporcionará la información y, si es necesario, la formación necesarias para su uso y mantenimiento correctos.

En el ámbito domiciliario debemos tener en cuenta que estos materiales y equipos los usarán otras personas, generalmente familiares de la persona en situación de dependencia. Para garantizar que los usarán, limpiarán y guardarán correctamente es necesario facilitarles la información y las instrucciones necesarias.

### ¡Tenlo en cuenta!

El uso de técnicas o productos inapropiados puede suponer que el material o el equipo se estropee o deje de funcionar correctamente. Por ejemplo, frotar la superficie de un dispositivo con un estropajo puede rayarla, usar un limpiador incorrecto sobre la pantalla de un equipo de medición puede hacer que esta quede opaca, limpiar unas tijeras forzando su articulación puede hacer que luego no encajen bien o introducir un limpiador en las aperturas del medidor de un glucómetro puede inutilizarlo.

### ›› Recomendaciones generales

Algunas consideraciones generales que debemos tener en cuenta son las siguientes:

- Es importante realizar una higiene de manos antes de manipular los materiales o dispositivos, como medida para impedir su contaminación.

- Si el dispositivo requiere componentes desechables, como la tira reactiva de los glucómetros o la boquilla de los espirómetros, estos se deben retirar inmediatamente después de su uso y depositarlos en el contenedor que corresponda. Los dispositivos nunca se deben guardar con componentes usados acoplados.

- La limpieza y desinfección se deben realizar enseguida después de utilizar el material o el equipo. Nunca se deben guardar estando sucios.

- La limpieza y desinfección se deben realizar usando los productos y las técnicas que indiquen el manual de instrucciones o el protocolo correspondiente.

- Tras la limpieza, los materiales o equipos se deben guardar bien, de forma que queden protegidos del polvo y de manipulaciones innecesarias. Dependiendo del producto se coloca en su funda o en una bolsa, se introduce en un armario con puerta, etc.

### ›› Los equipos eléctricos

En el caso de los equipos eléctricos de uso sanitario que van conectados a la corriente adoptamos la misma medida básica de prevención frente a electrocuciones que en el caso de los equipos eléctricos domésticos: apagarlos y desenchufarlos siempre antes de proceder a su limpieza.

**Tarea 5**
La higienización
de equipos

Para realizar la limpieza es necesario aplicar el protocolo de limpieza y desinfección que corresponda. Además, la empresa fabricante proporciona información detallada sobre los productos y técnicas que recomienda para cada componente del equipo.

Es necesario prestar especial atención con los equipos o dispositivos que efectúan mediciones, como glucómetros, tensiómetros o termómetros. En ellos es esencial seguir las instrucciones de mantenimiento y limpieza descritas en su manual de instrucciones, ya que una actuación inadecuada podría provocar lecturas erróneas.

> ### Procedimiento básico de limpieza y desinfección de aparatos eléctricos de uso sanitario

El procedimiento básico para la limpieza de equipos eléctricos es el que mostramos a continuación (Proc. 4.6), aunque es importante verificar con el manual de instrucciones cuáles son los pasos y productos recomendados para cada equipo concreto.

Al terminar, debemos reponer los elementos retirados y poner el equipo en marcha para verificar que funciona correctamente. Si no vamos a usarlo inmediatamente, lo apagamos y lo protegemos para evitar que se ensucie.

---

Procedimiento 4.6.
**Procedimiento básico de limpieza y desinfección de aparatos eléctricos de uso sanitario**

Procedimiento básico de limpieza y desinfección de equipos

---

### Materiales

- Gel hidroalcohólico
- Solución detergente
- Solución desinfectante
- Contenedores para residuos
- Contenedor para material sucio

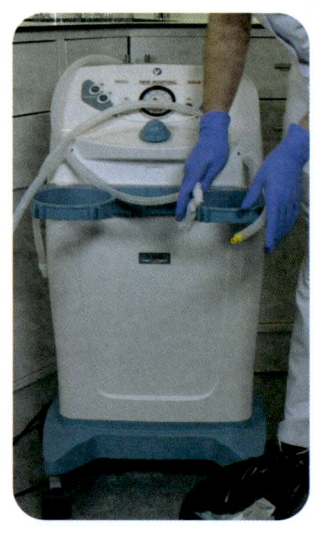

### Pasos que seguir

**1.** Realiza una higiene de manos y ponte guantes.

**2.** Apaga el equipo. Si está conectado a la red eléctrica: desenchúfalo. Si funciona con pilas: retira las pilas.

**3.** Si tiene componentes desechables: retíralos y deposítalos en el contenedor que corresponda.

**4.** Si tiene componentes reutilizables extraíbles: retíralos siguiendo las instrucciones de la empresa fabricante. Seguidamente lava y desinfecta los componentes extraíbles que lo requieran, aplicando un procedimiento adecuado a sus características. Sécalos bien y comprueba que estén en buenas condiciones.

**5.** Limpia y desinfecta el cuerpo del equipo por loción. Puedes aplicar solución detergente, secar y aplicar solución desinfectante o bien usar una solución con acción detergente y desinfectante. En ambos casos deberás ver si el producto usado requiere un secado final.

**6.** Repón los componentes reutilizables extraíbles que habías retirado. Asegúrate de que las conexiones quedan bien encajadas y, si hay tubos, que estos no presentan acodaduras o roturas.

**7.** Para los componentes desechables, coloca componentes nuevos. Asegúrate de que la medida y modelo son los correctos.

**8.** Enchufa, conecta y verifica el funcionamiento del equipo. En algunos casos, la verificación se realiza mediante un programa de autotest que lleva a cabo el equipo y que queda registrado. Si el equipo no se va a usar inmediatamente, apágalo y cúbrelo con una funda.

**9.** Retírate los guantes, realiza una higiene de manos y registra el procedimiento.

## ❯ Procedimiento de limpieza y desinfección de algunos dispositivos

Veamos las peculiaridades de algunos dispositivos de uso común en el ámbito residencial y en el domiciliario:

- **Tensiómetro**:
  - Separar el manguito y frotar su superficie con una toallita desinfectante o con alcohol de 70º. Si se mancha, o tras el número de usos establecido, hacer un lavado a máquina.
  - Limpiar y desinfectar el cuerpo del equipo por loción.

- **Glucómetro**:
  - Retirar la tira reactiva inmediatamente tras su uso y depositarla en la bolsa de restos de residuos domésticos.
  - Limpiar y desinfectar el cuerpo del equipo por loción.

- **Termómetro digital**:
  - Limpiar y desinfectar el equipo por loción.

- **Equipo de oxigenoterapia**:
  - Retirar el humidificador y la cánula nasal y lavarlos con un detergente adecuado. Secarlos bien.
  - Limpiar y desinfectar el cuerpo del equipo por loción.

- **Máquinas CPAP** (*continuous positive airway pressure*, presión positiva continúa en la vía aérea), para tratar la apnea del sueño:
  - Retirar la máscara y la manguera y lavarlas con un detergente adecuado. Secarlas bien.
  - Retirar y reemplazar el filtro con la periodicidad establecida.
  - Limpiar y desinfectar el cuerpo del equipo por loción.

- **Aspirador de secreciones**:
  - Retirar la sonda y el reservorio en que se recoge el material aspirado. El reservorio es desechable y la sonda también suele serlo (aunque las hay reutilizables).
  - Limpiar y desinfectar el cuerpo del equipo por loción.

En la mayoría de los equipos la desinfección por loción del cuerpo del equipo se puede hacer usando alcohol de 70º. Pero insistimos en que en cada caso se deben seguir las instrucciones del fabricante y las recogidas en los protocolos de limpieza.

También es importante tener en cuenta que algunos equipos tienen componentes que hay que limpiar o reemplazar cada un cierto tiempo o tras un número de usos establecido; registrar cada operación será esencial para identificar el momento en que deben realizarse estas actuaciones con la periodicidad correcta.

## ¡Tenlo en cuenta!

Para preservar las condiciones higiénicas de todos los dispositivos y equipos es importante realizar una higiene de manos antes de manipularlos, y guardarlos debidamente protegidos con su funda o en un lugar cerrado después de haberlos limpiado.

## ❯❯ El instrumental que se debe esterilizar

**Tarea 4**
La higienización
del instrumental

El instrumental usado en curas u otros procedimientos se lleva a la zona en que se procederá a su esterilización.

### ❯ La retirada

La retirada de instrumental se puede hacer:

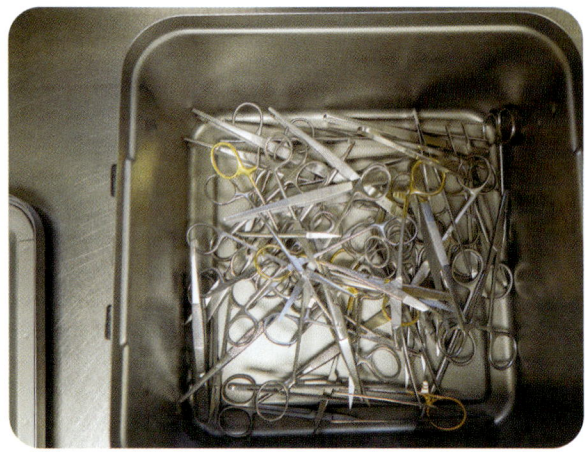

- **En seco**. Consiste en depositar los instrumentos usados en una caja metálica con tapa, y trasladarlos así a la zona de lavado. Es el sistema más recomendado.

- **En húmedo**. Consiste en depositar los instrumentos en una caja metálica con tapa que contiene una solución de desinfectante y detergente. No debe usarse suero fisiológico, ya que facilita la corrosión del metal, ni mantener los instrumentos dentro de la solución por demasiado tiempo.

  Cuando se hace la retirada en húmedo, los instrumentos se aclaran bien con agua corriente antes de proceder a su limpieza.

**Fig. 4.10.** Caja para retirada en seco de instrumentos.

### ❯ El lavado y la inspección

La mayoría de los instrumentos se lavan a máquina. Al hacer la carga de la máquina:

- El instrumental que tiene articulaciones, como las tijeras o las pinzas, se coloca abierto para exponer bien todas sus superficies.

- El material que se puede desmontar se desmonta y las piezas se colocan separadamente en la máquina.

- El instrumental con conductos o canales estrechos se trata previamente para asegurarse de que estos no están obstruidos. Se puede hacer con jeringa, pistola de agua o cepillos específicos.

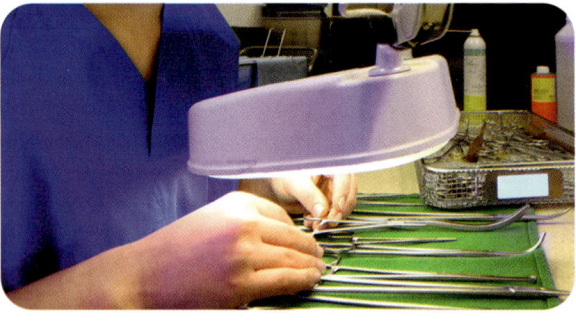

Tras el lavado se realiza una inspección en la cual se observa:

- Si todos los instrumentos están bien secos y limpios.

- Si la superficie de los instrumentos presenta corrosión.

- Si hay deformidades o alteraciones en el instrumento que puedan afectar a su uso. Se inspeccionan los sistemas de cremallera, el encaje de las ramas de las pinzas, el encaje de los mangos de bisturí, etc.

**Fig. 4.11.** Inspección visual de los instrumentos.

Cualquier anomalía en esta inspección supone la retirada del instrumento. Para los que están bien se procede a lubricar las articulaciones y tornillos que lo requieran y a montar los que se hayan desmontado para el lavado.

### ❯ El empaquetado y la esterilización

El instrumental que ha superado la inspección se empaqueta y se esteriliza, siguiendo las pautas que hemos explicado. Tras estos procesos se obtiene instrumental empaquetado y etiquetado.

### 4.3.3. Materiales de higiene personal y de limpieza

Los distintos materiales que se utilizan para la *higiene personal* y los que se usan para la *limpieza y desinfección del entorno* también deben cumplir unos mínimos requisitos higiénicos.

#### ›› Materiales de higiene personal

Los instrumentos y materiales de higiene personal (peines, cepillos, cortaúñas, limas, esponjas, etc.) deben estar limpios. Dedicaremos una unidad de trabajo a la higiene personal y en ella detallaremos cómo proceder para mantenerlos en condiciones higiénicas. Además, para realizar ciertas actividades de higiene personal y de recogida de eliminaciones usamos cuñas y palanganas. En el manejo y limpieza de las cuñas debemos tener presente que las cuñas:

- Se utilizan en la región perineal, una zona con una presencia elevada de bacterias.

- Contienen orina y/o heces y es necesario vaciarlas, lo que puede provocar salpicaduras y aerosoles.

Por todo ello, la recomendación es utilizar lavacuñas, que son máquinas diseñadas para vaciar, lavar y desinfectar las cuñas. Para minimizar el riesgo de contaminación, la cuña se tapa y, sujetándola con una mano enguantada, se lleva directamente al lavacuñas y se coloca en su interior. Una vez depositada la cuña en el lavacuñas, se debe realizar una higiene de manos.

En los centros que no disponen de lavacuñas o en la asistencia domiciliaria las cuñas se deben lavar manualmente. El procedimiento básico es el que mostramos a continuación (Proc. 4.7), que también se aplica para la limpieza de palanganas.

---

Procedimiento 4.7.
**Lavado manual de cuñas y palanganas**

**Materiales**

- Gel hidroalcohólico
- Guantes de goma
- Solución detergente-desinfectante
- Cepillo de mango largo

**Pasos que seguir**

1. Realiza una higiene de manos y ponte guantes de goma.
2. Vacía totalmente el contenido, evitando en lo posible generar salpicaduras.
3. Deposita una solución detergente-desinfectante en el interior y déjala actuar el tiempo que corresponda.
4. Frota toda la superficie con un cepillo de mango largo.
5. Aclara y deja secar en posición invertida.
6. Retírate los guantes y lávate las manos.

---

#### ›› Materiales de limpieza

Lógicamente, el material de limpieza se ensucia y se contamina con el uso. Para que las operaciones de limpieza y desinfección que realicemos con ellos resulten efectivas, es imprescindible que sean desechables o que los lavemos y desinfectemos tras cada uso.

- Los **trapos, estropajos, cepillos y fregonas** debemos lavarlos con agua y detergente y seguidamente desinfectarlos por inmersión en una solución desinfectante. Finalmente los escurrimos bien y los dejamos secar.

Otra opción para trapos y estropajos es lavarlos en la lavadora, a temperatura elevada y con lejía o un desinfectante para textiles.

- Los **cubos** y **otros artículos rígidos** los lavamos aplicando el mismo procedimiento que usamos para lavar cuñas o palanganas. Es importante dejar que se sequen en posición invertida para que el agua escurra bien y guardarlos en esta posición.

## 4.3.4. El carro de curas

> El **carro de curas** es un carro que se utiliza para transportar el material e instrumental necesarios para la realización de curas en las habitaciones.

Suele tener dos o tres bandejas o cajones, con diferentes compartimentos para mantener ordenado el material, e incorpora al menos un soporte para bolsas para residuos.

### >> El contenido del carro de curas

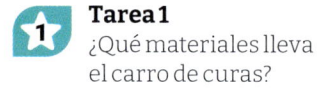

**Tarea 1**
¿Qué materiales lleva el carro de curas?

El contenido concreto depende el tipo de curas que se van a realizar. Cada centro, e incluso cada planta o zona dentro de ellos, planifica el contenido de los carros de curas para adaptarlos a sus necesidades específicas. Para revisar que contienen todo lo necesario, hay una lista que detalla todos los elementos y que se utiliza para verificar que están completos.

De forma general, los carros de curas contienen:

- Guantes estériles y no estériles de varias tallas.
- Gasas estériles.
- Apósitos adhesivos de diferentes medidas.
- Paños estériles de campo.
- Esparadrapo hipoalergénico de diferentes anchuras.
- Vendas de distintos tipos y medidas.
- Algodón.
- Suturas de distintos tipos y tamaños.
- Jeringas desechables de 5, 10 y 20 ml, y agujas.
- Instrumental estéril: pinzas, tijeras, sonda acanalada, bisturís, etc., según las necesidades.
- Bateas.
- Suero de irrigación.
- Antisépticos.
- Materiales y medicamentos específicos.
- Contenedor rígido para agujas y otros objetos punzantes.
- Bolsa o bolsas para residuos.

La ordenación de los materiales en los carros también está establecida; de esta forma, cualquier profesional del centro que use uno de los carros podrá localizar los materiales sin dificultad.

## ›› La limpieza del carro de curas

**Tarea 2**
Planificad el proceso

**Tarea 6**
La limpieza del carro

Cada centro sanitario o residencial dispone de un protocolo para la limpieza de los carros de curas. La pauta básica para la limpieza diaria es la que muestra el PROCEDIMIENTO 4.8. Generalmente se realizan:

● Una limpieza diaria, en la cual no se vacían los cajones, ya que su contenido está protegido.

● Una limpieza más completa, que suele hacerse al menos una vez por semana. En esta limpieza se vacía el contenido completo del carro y se limpian todos los elementos, incluidas las ruedas.

---

Procedimiento 4.8.
## Limpieza diaria del carro de curas

Limpieza del
carro de curas

### Materiales

● Gel hidroalcohólico

● Guantes

● Agua con detergente

● Solución desinfectante

● Paños

● Papel

### Pasos que seguir

**Preparación**

**1.** Realiza una higiene de manos y ponte guantes.

**2.** Retira la bolsa o las bolsas de desechos y el recipiente para residuos cortopunzantes, y deposítalos donde corresponda.

**3.** Si hay bateas o materiales reutilizables sucios, retíralos y deposítalos en el carro destinado a la unidad de limpieza y esterilización, siguiendo el protocolo que se haya establecido (vaciar antes, colocar dentro de una bolsa, introducir en un recipiente específico, etc.).

**4.** Retira los materiales que haya en la superficie superior del carro y deposítalos sobre una superficie limpia. Si en las fases anteriores has manipulado material sucio es conveniente que te cambies los guantes antes de tocar los materiales del carro.

**Limpieza**

**5.** Limpia todas las superficies con un paño humedecido en agua con detergente. Empieza por la bandeja superior y limpia desde arriba hacia abajo. De esta forma, si caen gotas o partículas lo harán sobre una superficie que aún se ha de limpiar.

**6.** Seca bien todas las superficies.

**Desinfección**

**7.** Frota todas las superficies, también desde arriba hacia abajo, con solución desinfectante y espera a que se seque.

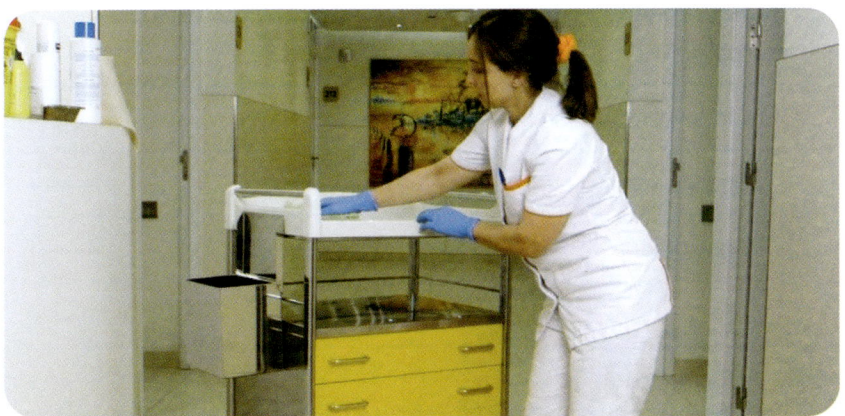

Procedimiento 4.8. cont.
## Limpieza diaria del carro de curas

**Pasos finales**

**8.** Coloca los materiales previamente retirados.

**9.** Revisa el contenido del carro utilizando la lista de materiales del carro de curas y repón lo que falte. Si no se va a usar inmediatamente, cubre el carro con un paño para preservarlo de posibles contaminaciones.

**10.** Quítate los guantes y realiza una higiene de manos.

**11.** Registra el procedimiento.

 ## Actividades

 **Diagrama de flujo lineal**

**14.** Has de limpiar un aparato de radio que va enchufado a la corriente y que tiene una pequeña pantalla. Describe el procedimiento que aplicarás y las precauciones que adoptarás.

**15.** Marta, una enfermera, ha realizado unas curas a una mujer que presenta úlceras por presión. El instrumental usado lo ha depositado en una caja metálica con tapa que tiene líquido en su interior.

**a)** ¿Qué es ese líquido? ¿Podría sustituirse por suero fisiológico? ¿Por qué?

**b)** ¿Cómo se denomina este sistema de recogida?

**c)** Cuando en la zona de esterilización reciban la caja, ¿qué es lo primero que harán con los instrumentos que contiene?

**d)** Elabora un **diagrama de flujo lineal** que muestre los pasos que seguirá ese instrumental desde su lavado hasta que esté esterilizado.

**16.** Vas a empezar una asistencia domiciliaria de un hombre que debe permanecer encamado. Has quedado en ir mañana al piso para explicar a su mujer, que es su cuidadora principal, qué materiales y productos necesitarás para la limpieza de la habitación y de los objetos y textiles que hay en ella. También quieres darle instrucciones para que, cuando se ocupe ella de las tareas, las haga cumpliendo los requisitos de higiene.

Elabora una tabla como la siguiente, para que puedas consultarla durante la visita y así no olvides nada importante.

| | Productos necesarios | Instrucciones básicas | Medidas de higiene destacadas | Recomendaciones |
|---|---|---|---|---|
| Mobiliario | ---------- | ---------- | ---------- | ---------- |
| Objetos personales | ---------- | ---------- | ---------- | ---------- |
| Ropa blanca | ---------- | ---------- | ---------- | ---------- |
| Ropa personal | ---------- | ---------- | ---------- | ---------- |
| Cuña | ---------- | ---------- | ---------- | ---------- |
| Tensiómetro | ---------- | ---------- | ---------- | ---------- |

**17.** La comida para Juan, un hombre en situación de dependencia al que atiendes en su casa, está casi lista. Vas a su habitación para prepararlo todo antes de llevarle la bandeja; además, tienes que tomarle la tensión arterial y medirle la glucemia:

- Retiras los objetos que hay en la mesa accesoria: una botella de plástico vacía, un vaso sucio, unos folletos de publicidad que Juan te dice que ya puedes tirar y una lata de refresco.

- Preguntas a Juan si quiere usar la cuña de botella; te dice que sí.

- Acercas una palangana con agua, jabón y una toalla para que Juan se lave las manos.

- Limpias y desinfectas la mesa accesoria.

- Le tomas la tensión usando un tensiómetro digital y anotas el resultado en el registro correspondiente.

- Le haces una punción con una lanceta, colocas una tira reactiva en el glucómetro y mides su glucemia. Anotas el resultado en el registro correspondiente.

**a)** ¿Qué harás con cada uno de los objetos que has retirado de la mesa accesoria? Para los que se pueden tirar, indica a qué tipo de contenedor va cada uno.

**b)** Elabora un **diagrama de flujo lineal** que muestre los pasos que seguirás para limpiar la cuña.

**c)** ¿Qué técnica de desinfección es la más común para aplicar sobre la superficie de la mesa accesoria? Explica cómo se realiza.

**d)** Una vez medida la tensión arterial, ¿qué harás con el tensiómetro? Puedes mostrar los pasos que seguirás mediante un **diagrama de flujo lineal**.

**e)** ¿Qué residuos se han generado al medir la glucemia de Juan? ¿Qué harás con ellos?

**18.** El contenido de los carros de curas y la ordenación de los distintos materiales en ellos están establecidos. Indica qué ventajas proporciona esta forma de actuar en cuanto a la seguridad y a la eficacia.

**RETO 4.1**
**Daniel debe limpiar un carro de curas**

**Tarea final:** Edición de un vídeo sobre el proceso de limpieza y desinfección de un carro de curas.

# ¿Qué sabes ahora de...?

Reflexiona y valora tus conocimientos respecto a cada una de las siguientes cuestiones:

- ¿Sabes para qué sirven los detergentes? ¿Y los desinfectantes?
- ¿Sabes qué técnicas de esterilización existen?
- ¿Sabes cómo limpiar y desinfectar un tensiómetro?
- ¿Sabes qué es un carro de curas?

 Ni idea

 Me suena

 Lo conozco

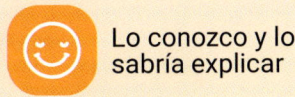 Lo conozco y lo sabría explicar

# 5 La higiene de la habitación

## ¿Qué sabes de...?

- ¿Sabes qué muebles debe haber en la habitación de una persona encamada?
- ¿Sabes qué características deben reunir las camas de un centro residencial?
- ¿Sabes cómo cambiar las sábanas cuando la persona no puede levantarse de la cama?
- ¿Sabes cuándo se aplica un aislamiento?

 **RETO 1**

Clara empieza con la preparación de habitaciones

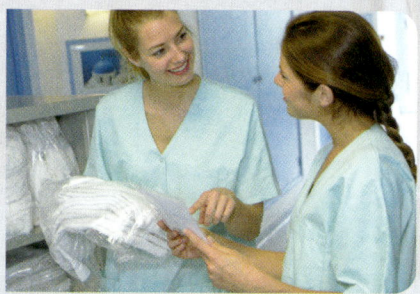

1. **La habitación**

2. **La cama**

 **La higiene de la habitación**

3. **Técnicas para hacer la cama**

4. **La habitación de aislamiento**

# 5.1. La habitación

Las características físicas, el tipo de mobiliario y otras características son distintas en la atención domiciliaria y en la atención en centros residenciales. Los centros residenciales están especialmente diseñados para esta labor y deben aplicar normativas que establecen los requisitos mínimos que deben cumplir y ciertos criterios de calidad que deben aplicar.

**Tarea 1**
1
¿Qué hay en la habitación?

Si la persona es atendida en su domicilio y debe permanecer encamada durante un periodo largo o de forma crónica, la habitación se debe aproximar, en la medida de las posibilidades, a lo que es la habitación de un centro residencial.

## 5.1.1. Los espacios

Los espacios disponibles para las personas usuarias de los centros residenciales son la *habitación* y el *baño*.

### » La habitación

La habitación suele ser individual, pero en algunos casos es compartida. Cuando la habitación es compartida se aplica un concepto hospitalario: «unidad de paciente», que se refiere a los espacios y el mobiliario que corresponden a cada persona.

#### › Mobiliario mínimo

La unidad de paciente en los centros residenciales debe disponer, al menos, de los siguientes muebles:

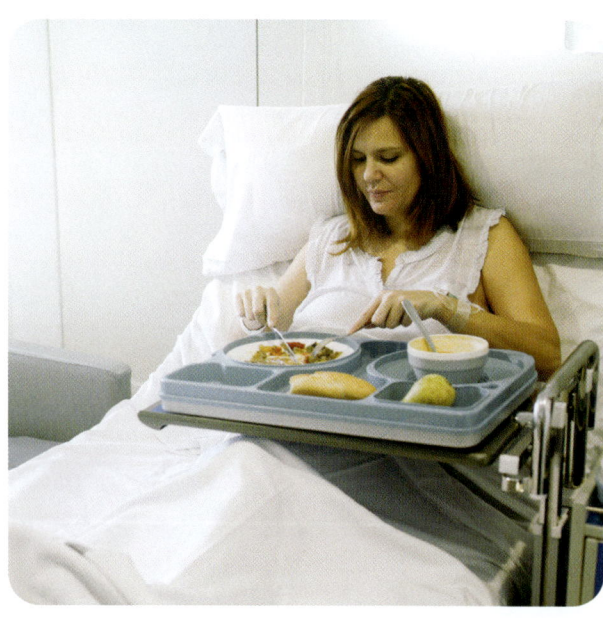

**Fig. 5.1.** La mesa de cama permite que la persona pueda comer en la cama.

- **Cama**. Debe estar en buen estado de conservación y con lencería limpia.

- **Mesilla de noche**. Debe estar al alcance de la persona, para que pueda dejar en ella objetos que pueda necesitar.

- **Silla o sillón**. Permite que la persona pueda pasar un tiempo sentada y que la puedan usar las personas que la visiten.

- **Armario**. En él la persona guarda sus ropas y pertenencias.

- **Mesa de cama** o **carro-bandeja**. Es una mesa con ruedas que tiene una base que puede introducirse bajo la cama y un tablero superior regulable en altura y en inclinación. Se utiliza para que la persona coma en la cama o en el sillón y también puede usarse para otras tareas.

#### › Iluminación y alarmas

Cada persona debe disponer de un sistema de iluminación indirecta que pueda encender o apagar desde la cama y que sea independiente de la luz general de la habitación. También debe tener una luz focal, para leer en la cama, consultar el móvil, etc. Además, ha de poder acceder desde la cama a un timbre de alarma.

### > Accesorios

En función de las necesidades de cada persona y de los cuidados que precise se podrán añadir otros productos. Por ejemplo, un soporte para goteros, un triángulo sobre la cama, una grúa-elevador portátil, una silla de ruedas, etc.

## >> El baño

La habitación, sea individual o compartida, debe disponer de baño propio. El baño en los centros residenciales debe ser completo y disponer de:

- Puertas y espacios amplios, para permitir el acceso en silla de ruedas.

- Suelos no resbaladizos y sin desniveles ni escalones, incluso para entrar en la ducha.

- Barras para sujetarse junto al váter y en la ducha, además de otros productos de apoyo que la persona pueda necesitar, como una silla de ducha.

- Timbre de alarma.

En el baño se guardan los productos de higiene personal y materiales como:

- Toallas, que se reemplazan diariamente.

- Una cuña y en el caso de los hombres también un orinal de botella.

- Una palangana para los lavados o para recoger posibles vómitos.

Todos estos elementos son de uso personal. Si la habitación es compartida es necesario marcarlos o guardarlos en el espacio reservado a esa persona.

**Fig. 5.2.** La silla de ducha es un producto de apoyo muy habitual.

## 5.1.2. Las condiciones ambientales

La habitación debe cumplir requisitos relativos a las condiciones ambientales para proporcionar confort a la persona y garantizarle un entorno saludable. Los principales requisitos hacen referencia a la *temperatura*, la *iluminación*, la *ventilación*, la *humedad ambiental* y el *ruido*.

- **Temperatura**. Es importante considerar las condiciones personales para establecer la temperatura de la habitación: edad, nivel de movilidad, problemas de salud, etc. Las personas de edad avanzada, por ejemplo, suelen ser muy sensibles al frío y al calor.

  Para los centros residenciales existen normativas autonómicas que establecen los márgenes en que se debe mantener la temperatura.

- **Iluminación**. La habitación debe tener alguna ventana que permita la entrada de luz natural, además de los elementos de luz artificial que ya hemos descrito.

- **Ventilación**. Es imprescindible establecer un sistema de ventilación, para disipar los olores y evitar la concentración de microorganismos en el aire. La ventilación se puede hacer abriendo las ventanas o mediante ventilación forzada, con un sistema de circulación de aire.

- **Humedad ambiental**. La humedad recomendada está entre el 45 y el 55%. Si es más baja, las personas experimentarán sequedad en sus vías respiratorias; si es más alta, se favorece la proliferación de bacterias y hongos.

- **Ruido**. El ambiente debe ser tranquilo y con un nivel bajo de ruidos para favorecer el descanso y el bienestar.

## Actividades

1. Imagina que, por un accidente, debes permanecer en cama durante unos meses. Visualiza tu habitación y piensa qué cambios en ella te ayudarían a mejorar tu confort durante ese tiempo. Haz una lista de los cambios y justifica cada uno de ellos.

2. Diseña una habitación individual para una persona en situación de dependencia. Para hacerlo, dibuja un plano en 2D de la habitación y coloca en él todos los elementos que debe contener.

3. Una habitación de hospital está preparada para dos personas. Indica:

   a) ¿Cuántas unidades del paciente hay?

   b) ¿Qué elementos son de uso común?

   c) ¿Qué requisitos debe cumplir el baño?

4. La ventilación es esencial en las habitaciones, especialmente cuando la persona debe permanecer encamada. Argumenta por qué es tan importante.

## 5.2. La cama

La cama es el lugar donde algunas personas pasan la mayor parte del tiempo y, en algunos casos, todas las horas del día. Además, es un soporte en el que se realizan exploraciones, curas y distintos cuidados personales.

La cama ha de quedar libre por todos sus lados, excepto por la cabecera. Alrededor de ella debe quedar suficiente espacio, ya que será la zona en que el personal deberá colocarse para realizar su trabajo y desde donde se realizarán las movilizaciones. Se suele dejar al menos 1 m entre la cama y la pared, y un 1,2 m entre dos camas.

### 5.2.1. La cama profesional básica

Modelos especiales de cama

La cama profesional básica es articulada y graduable en altura, generalmente entre 40 y 70 cm desde el suelo hasta el somier. Mide de 1,9 a 2 m de largo y suele tener un ancho de 90 cm.

**Fig. 5.3.** Cama articulada.

#### ›› La estructura de la cama

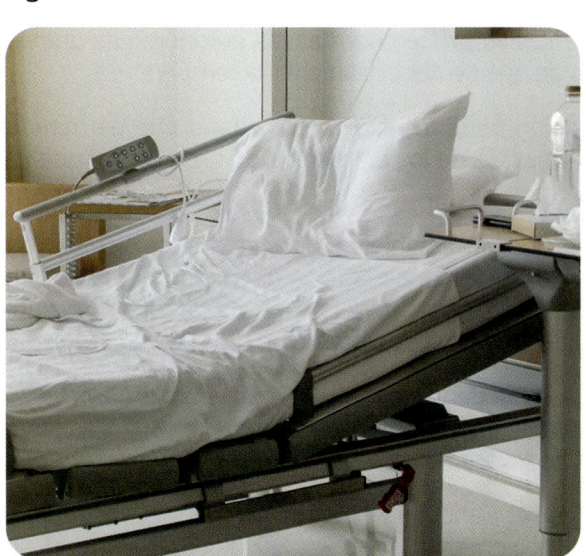

Los materiales de fabricación de la estructura deben ser resistentes, ligeros y no porosos, y se han de poder lavar y desinfectar fácilmente y con frecuencia sin que se estropeen.

También es importante que la estructura no tenga elementos que sobresalgan en los que se pueda enganchar la ropa o golpearse alguien. Las esquinas y bordes no deben tener ángulos vivos.

Las patas de la cama profesional disponen de ruedas para desplazarla con facilidad y de un sistema de bloqueo para evitar desplazamientos involuntarios.

Cuando es necesario, la estructura puede incluir puntos de anclaje para complementos, como barandillas de seguridad, y soportes para colocar elementos, como el mando con el que se regula la cama, goteros, etc.

## >> El somier

Los somieres de las camas profesionales son articulados y suelen tener, al menos, tres segmentos: uno para la cabeza y la espalda, otro para la pelvis y otro para las extremidades inferiores.

Estos somieres están mecanizados y se pueden modificar la *disposición de las secciones* y la *altura*. La regulación de las secciones se hace mediante un mando y la de la altura con el mismo mando o mediante un pedal.

Posiciones del paciente

- **Disposición de las secciones**. El movimiento de las secciones articuladas permite que la persona pueda recostarse en posiciones distintas. Esta prestación:

  - Mejora el confort de la persona encamada, que puede seleccionar la posición en que se encuentre más cómoda en cada momento.

  - Permite que el personal coloque a la persona en la posición más adecuada a su estado de salud. Por ejemplo, con el tronco un poco elevado para facilitar la respiración o con las piernas elevadas para facilitar el retorno venoso.

  - Ayuda al personal a realizar actividades de higiene personal o de movilización. Por ejemplo, la elevación de la zona superior del somier reduce el esfuerzo necesario para ayudar a la persona a sentarse en el borde de la cama.

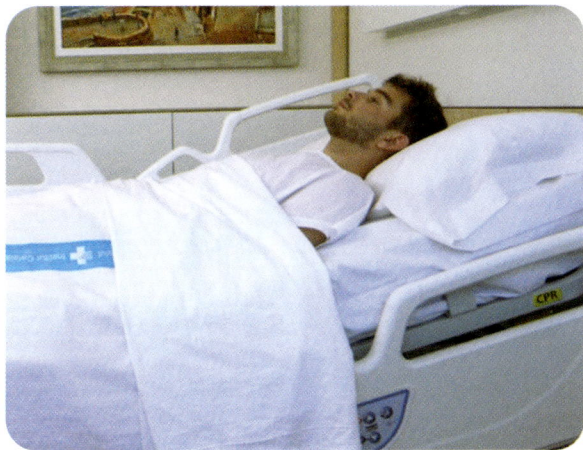

**Fig. 5.4.** Las camas articuladas permiten que la persona se pueda colocar en distintas posiciones.

- **Altura**. Esta es una prestación útil para facilitar ciertas tareas, tanto al personal como a la persona ingresada. Por ejemplo, elevar la cama permite cambiar las sábanas sin tener que agacharse tanto o bajarla ayuda a que la persona se siente o se levante más fácilmente.

## >> El colchón y la almohada

El colchón debe cumplir algunas características básicas:

- **Flexible o de piezas**, para que se adapte a los somieres articulados y permita las distintas posiciones en que estos pueden colocarse.

- **Firme y confortable**, para proporcionar una posición correcta del cuerpo y repartir la presión lo mejor posible.

- **Higiénico**, para que no favorezca la proliferación de ácaros o microorganismos. Es necesario que se le coloque una funda o protector impermeable para evitar que sudor, orina u otros fluidos penetren en el núcleo del colchón.

- **Ignífugo** y que no emita gases tóxicos en caso de incendio.

En algunos casos se añade un cubrecolchón, colchoneta o *topper* sobre el colchón de la cama. Se puede usar para proteger el colchón o mejorar el confort, aunque el uso más común es la prevención de la formación de úlceras de presión.

Las almohadas, por su parte, suelen ser blandas y bajas, para facilitar los cambios posturales. En algunos casos se usan almohadas con formas especiales: cervical, de media luna, etc. Independientemente del modelo, la almohada se debe cubrir con una funda, al igual que se hace con el colchón.

**Documento 5.1.**
## Tipos de colchones según el material de fabricación

Podemos hacer una distinción básica entre los colchones *de espumaciones* y los *de muelles*.

- **Colchones de espumaciones**. Tienen un núcleo de espuma. Los hay de distintos tipos, densidades y calidades. Entre ellos destacan:

  - **Colchones de espuma de poliuretano**. Su calidad varía mucho según la densidad de la espuma. Los de alta densidad tienen un nivel de firmeza y flexibilidad que, unido a su precio económico, los hace una buena opción.

  - **Colchones de espuma viscoelástica.** Son colchones que dan un buen soporte y un destacado alivio de la presión; además, son más resistentes a los ácaros del polvo que otros tipos de colchones. Como inconvenientes frente a los de espuma de poliuretano, son más caros y pesados.

  - **Colchones de espumas de última generación**. Son colchones que suelen tener diferentes zonas de firmeza adaptables a cada zona del cuerpo y canales de aireación. Las propiedades y precio varían mucho según los modelos.

  - **Colchones de espuma de látex**. Son colchones con una gran resistencia al hundimiento y un tacto suave muy adaptable al cuerpo. El problema es que deben estar bien ventilados, ya que de lo contrario pueden llegar a coger moho; cuanto más látex natural contengan mejor debe ser el cuidado. Esta necesidad de ventilación hace que las fundas impermeables que se usan con estos colchones deban ser transpirables.

- **Colchones de muelles**. Suelen ser bastante firmes y proporcionan un apoyo correcto para la espalda. Tienen un núcleo con muelles; los más habituales son los muelles embolsados o ensacados. El relleno que completa el colchón puede ser de distintos materiales, como espuma de poliuretano, látex, viscoelástica o algodón. También hay muchos modelos que llevan una capa superior de un material distinto; por ejemplo, colchones de muelles con relleno de espuma de poliuretano y una capa superior de viscoelástica.

> ## Colchones y cubrecolchones antiescaras

Para personas que han de permanecer muchas horas en cama o que tienen una movilidad reducida se pueden usar colchones o cubrecolchones antiescaras, que están diseñados para prevenir la aparición de úlceras de presión.

Estos elementos facilitan la aireación de la piel y alivian la presión en las zonas más propensas a la formación de úlceras.

Un modelo de colchón antiescaras

Hay distintos tipos de colchones antiescaras. Según el nivel de riesgo de úlceras se recomiendan unos u otros:

- Si el riesgo de úlceras es bajo se pueden usar colchones de espuma de alta densidad.

- Si el riesgo es medio se recomiendan colchones de espuma viscoelástica.

- Si el riesgo es muy alto o la persona ya tiene úlceras, se usan colchones de tubos o celdas de aire. Estos colchones tienen un compresor que va variando el llenado de aire en las distintas zonas del colchón, lo que va modificando las zonas de presión.

En el caso de los cubrecolchones antiescaras podemos distinguir dos tipos principales:

- Cubrecolchones de fibra hueca, que alivian la presión.

- Cubrecolchones de aire, con un funcionamiento similar al de los colchones antiescaras de tubos o celdas de aire.

## >> Accesorios para la cama

Se pueden añadir distintos accesorios a la cama para satisfacer necesidades específicas de cada persona. Algunos de los más habituales son:

- **Barandillas de seguridad**. Son pequeñas barandillas metálicas o de material plástico que van fijadas a la estructura de la cama y se pueden subir y bajar. Existen protectores acolchados que se pueden colocar sobre ellas, especialmente cuando son metálicas.

- **Cojines de posicionamiento**. Se usan para ayudar a mantener determinadas posiciones corporales y como recurso para variar los puntos de apoyo corporal al hacer reposicionamientos. Suelen tener un núcleo de espuma de alta densidad y una funda de material impermeable. Los más comunes son los cojines de herradura o en uve y las cuñas.

- **Cuñas o soportes para pies**. Son un tipo de cuña postural, diseñado para colocar en la zona de los pies y evitar así que la persona se resbale hacia la zona inferior de la cama.

  Algunas camas tienen un piecero retráctil que se puede ajustar según la altura de la persona y que cumple esta función de soporte de los pies.

- **Férula de arco**. Es un semicilindro amplio que se sitúa sobre la sábana bajera para evitar que la sábana encimera roce la piel.

- **Triángulo de Balkan**. Es una estructura metálica de forma triangular que se cuelga en la parte superior de la cama para que la persona pueda sujetarse a ella y de esta forma ayudarse para hacer ciertos cambios posturales o para levantarse.

Cojines de posicionamiento

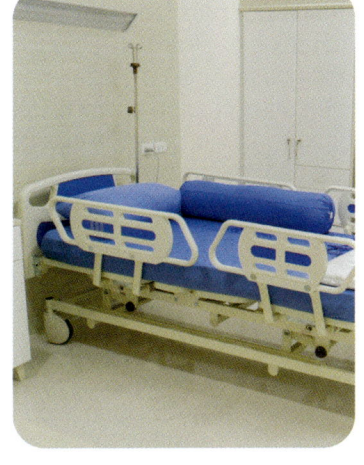

**Fig. 5.5.** Cama con barandillas y un cojín de posicionamiento.

## 5.2.2. La lencería

> La **lencería de una unidad del paciente** es el conjunto de elementos textiles que se utilizan en esta unidad.

En este caso, la lencería necesaria es la misma en la atención residencial que en la domiciliaria.

### >> Elementos de lencería

Existen distintos textiles que se usan en la unidad del paciente. La mayor parte se utiliza en la cama (protectores de colchón y almohada, sábanas, entremetida, colcha, manta), pero también hay otros, como toallas y lencería del paciente (pantalones y chaquetas de pijama, camisones o batas).

### > Los protectores de colchón y de almohada

Son fundas que recubren los colchones y almohadas para protegerlos y evitar que se manchen o absorban suciedad. En ambos casos se han de poder retirar para su lavado.

Estos protectores han de cumplir los requisitos de *impermeabilidad* y *confortabilidad*.

- **Impermeabilidad**. Esta propiedad es necesaria para evitar que la humedad penetre en colchones y almohadas, y puedan proliferar hongos o bacterias en su interior. Dentro de los protectores impermeables cabe distinguir entre:

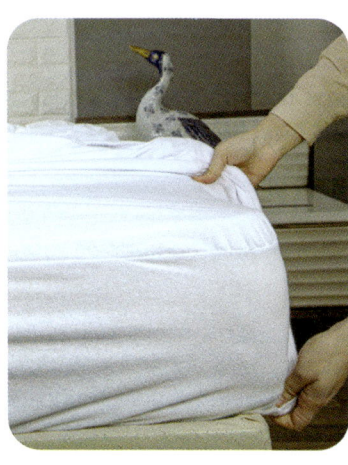

**Fig. 5.6.** Protector de colchón.

- **No transpirables**, generalmente de PVC (policloruro de vinilo). No son muy recomendables porque no permiten la circulación de aire, lo que puede provocar condensación en el interior del protector y la aparición de moho.

- **Transpirables**, fabricados de poliuretano, algodón o Tencel 100%. Ofrecen impermeabilidad y a la vez mantienen el colchón o la almohada ventilados.

- **Confortabilidad**. El protector debe resultar confortable, por lo que cada vez se usan menos los de materiales muy plásticos.

Los modelos actuales de protectores tienen un mantenimiento muy sencillo, ya que se pueden retirar y enviar al servicio de lavandería. Poniéndolos en la lavadora a la temperatura indicada en su etiqueta, quedan limpios y listos para su nuevo uso.

La recomendación es retirar el protector y sustituirlo por otro limpio cuando sea necesario o con la periodicidad que esté establecida. Pero en algunos casos, dependiendo del tipo de protector, se puede hacer una limpieza en la habitación, frotándolo con un paño humedecido en una solución desinfectante. Si se hace la limpieza del protector en la habitación, los productos que se usen y el procedimiento que se siga deben estar establecidos por el centro.

## > La lencería de cama

La lencería de la cama hospitalaria consta de los siguientes elementos:

- **Sábana bajera, sábana encimera y funda de almohada**, preferiblemente de algodón. En los centros residenciales, el servicio de lavandería prepara las sábanas limpias con un plegado especial, que permite colocarlas paso a paso, sin tener que extenderlas del todo al inicio.

- **Entremetida**. Es una pequeña sábana de algodón de aproximadamente 90 por 150 cm que sirve para proteger el colchón de las excreciones de la persona y también para realizar algunas movilizaciones. Se coloca sobre la sábana bajera, a lo ancho de la cama, y generalmente en la zona media del cuerpo.

- **Colcha**. Es una pieza de ropa de grosor medio que se coloca sobre la sábana encimera o, si la hay, sobre la manta.

- **Manta**. Cada unidad del paciente tiene al menos una manta. Las mantas suelen ser ligeras y de material sintético capaz de resistir bien los lavados frecuentes.

Las sábanas, la funda de almohada y la entremetida se cambian diariamente, mientras que la colcha y la manta se cambian solo si se han ensuciado o con la periodicidad establecida.

En ocasiones, además de la lencería, al hacer la cama se incorporan elementos desechables de celulosa, principalmente:

- **Protectores de cama**. Son parecidos a las entremetidas, pero acolchados y más absorbentes. Se utilizan cuando se prevé que puedan producirse pérdidas de orina, vómitos, exudados de heridas, etc. Se sitúan bajo la zona que se pueda manchar y se desechan cuando están sucios o cuando se cambian las sábanas.

- **Empapadores**. Son parecidos a los protectores, pero aún más absorbentes. Se usan especialmente en las camas de personas con incontinencia urinaria o fecal.

**¡Tenlo en cuenta!**

En la asistencia domiciliaria se debe tener en cuenta que las colchas y mantas puedan lavarse fácilmente. Es conveniente seleccionar modelos que quepan en la lavadora y que se puedan desinfectar.

### > Otros productos de lencería

Además de los productos de lencería específicos para la cama se usan otros textiles:

- **Toallas**. Deben ser de algodón y con un nivel de absorbencia adecuado. Se sustituyen diariamente o cuando sea necesario porque se han mojado o ensuciado.

- **Pantalones y chaquetas de pijama, camisones o batas**. Si la persona es capaz de vestirse y desvestirse sola o con algo de ayuda, es importante seleccionar modelos que le resulten lo más sencillos posible de poner y quitar, teniendo en cuenta sus limitaciones, para fomentar su autonomía en la medida de lo posible.

## >> Los carros de ropa

La lencería necesaria para preparar las habitaciones de los centros residenciales se recoge del almacén y se transporta hasta la zona de habitaciones en un carro con ruedas, denominado carro de ropa limpia. La ropa sucia se va depositando en otro carro, el carro de ropa sucia, que se lleva al servicio de lavandería.

Los dos carros circulan juntos, ya que se necesitan a la vez, y algunos modelos de carro integran ambas funciones. Pero hay que prestar atención al usarlos, ya que debemos evitar en todo momento que la ropa sucia entre en contacto con la limpia.

Los carros nunca se introducen en las habitaciones, sino que se dejan en el pasillo, junto a la puerta. En cada habitación se introduce solamente la lencería limpia que se usará.

### > El carro de ropa limpia y el carro de ropa sucia

El carro de ropa limpia tiene varias bandejas a distintos niveles, en las que se apila la lencería limpia. Los productos se pueden agrupar de dos formas en el carro:

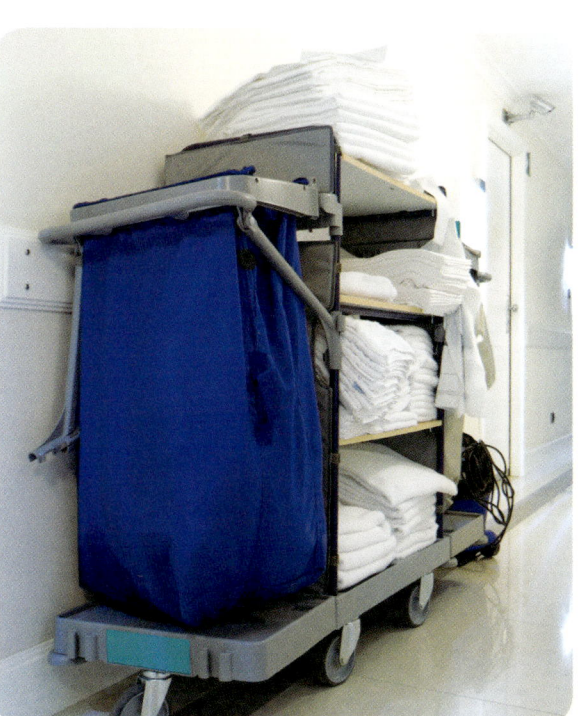

- Formando una pila para cada tipo de pieza. Antes de entrar en una habitación tomamos una pieza de cada pila.

- Disponiéndolas en conjuntos que incluyan todas las piezas de lencería necesarias para cambiar una cama, ordenadas según el orden en que se van a usar. En este caso, antes de entrar en una habitación tomamos uno de los conjuntos.

El carro de ropa sucia puede ser una gran cesta de rejilla sobre ruedas en cuyo interior se coloca una bolsa de plástico o un saco de lavandería que se acopla a la estructura. Dentro de la bolsa o el saco se van introduciendo las bolsas de ropa sucia que se sacan de las habitaciones.

**Fig. 5.7.** Modelo de carro para ropa que combina las funciones de transporte de ropa limpia a las habitaciones y recogida de ropa sucia para llevarla a la lavandería. En estos modelos hay que prestar atención para evitar que la ropa sucia entre en contacto con la limpia.

## >> Medidas higiénicas en el manejo de la lencería

**Tarea 3**
Prevenir la contaminación en el cambio de ropa de la cama

En los centros residenciales, como ya hemos mencionado, no debemos introducir los carros de ropa sucia y limpia en las habitaciones. Otras recomendaciones, en este caso de aplicación tanto en los centros como en los domicilios son:

● Realizar una higiene de manos antes de empezar y, si es necesario, ponerse guantes. Si la ropa está muy sucia, tras recoger la ropa sucia y antes de colocar la limpia nos retiramos los guantes, realizamos otra higiene de manos y nos colocamos guantes nuevos.

● Depositar la ropa limpia sobre una superficie limpia, nunca sobre la cama, en el suelo o sobre superficies sucias.

● Retirar la ropa de cama sucia pieza a pieza, sin agitarlas, e ir replegando cada pieza sobre sí misma, de forma que la parte usada quede en el interior. Ir depositando cada pieza replegada en una bolsa y, al terminar de retirar toda la ropa, depositar la bolsa en el carro de ropa sucia en el caso de los centros residenciales, mientras que en los domicilios se lleva directamente a la lavadora.

● No agitar la ropa, ni sucia ni limpia, ni extenderla al aire para evitar poner partículas en suspensión.

● Evitar en todo momento que la ropa sucia tenga contacto con la limpia, ya que ello podría causar su contaminación.

● Tanto al manejar ropa limpia como ropa sucia, mantenerla separada de nuestro cuerpo, ya que:

  ● El contacto de la ropa sucia con la que llevamos puesta puede contaminar la ropa limpia.

  ● El contacto de la ropa sucia con la que llevamos puesta puede contaminarla.

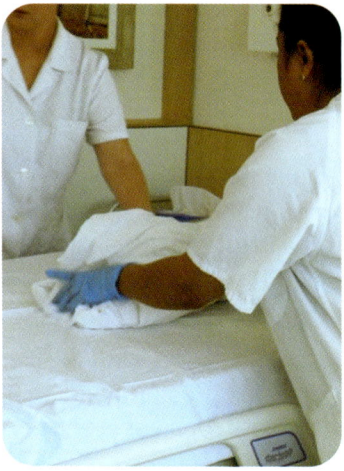

**Fig. 5.8.** Las sábanas usadas se deben retirar replegándolas sobre sí mismas.

 **Actividades**

**5.** Escribe una lista de las ventajas que proporciona disponer de un somier articulado en lugar de uno estático.

**6.** Pon tres ejemplos de actividades cuya realización se vea facilitada por la posibilidad de modificar la altura de la cama hospitalaria.

**7.** ¿Qué características deben reunir las fundas de colchón y de almohada?

**8.** Explica qué son y qué características básicas tienen la entremetida, los protectores de cama y los empapadores. ¿Para qué se utiliza cada uno de ellos?

**9.** La cama en la habitación de un centro residencial debe de quedar libre por todos sus lados, excepto por la cabecera. ¿Por qué no se puede colocar con un lateral contra la pared, para ahorrar espacio?

**10.** ¿Qué son los colchones antiescaras? Describe las características que tienen este tipo de colchones.

**11.** Indica cuál es la función de:
  **a)** Un cojín de posicionamiento.
  **b)** Un soporte para pies.
  **c)** Una férula de arco.
  **d)** Un triángulo de Balkan.

**12.** Describe las formas en que los productos de lencería de cama se pueden agrupar en el carro de la ropa y la forma en que se deben tomar en cada caso.

**13.** ¿Por qué se usan dos carros o un carro doble para la ropa? ¿Qué precauciones se deben adoptar con ellos?

 ## 5.3. Técnicas para hacer la cama

**Tarea 2**
Preparar la habitación

El arreglo de las camas es una de las tareas del personal técnico. Al llevarlo a cabo se deben tener presentes los dos objetivos básicos:

- **Comodidad**. La lencería limpia y bien colocada es un elemento que favorece el confort en la cama.

- **Higiene**. El cambio diario de las sábanas reduce el riesgo de infecciones. Pero al realizarlo debemos seguir las pautas establecidas, para evitar ponernos en riesgo de contagio o contaminar otras camas o la lencería limpia.

Para conseguir estos objetivos cambiamos la ropa de cama cada mañana, después de realizar el aseo corporal de la persona, y cada vez que se manche. Además, durante nuestra actividad procuramos que la cama se mantenga bien hecha, alisando las sábanas cuando estén desajustadas o cuando la cama esté revuelta, arreglando y recolocando la almohada, etc. La técnica para preparar la cama varía según las situaciones. Para establecer los procedimientos se definen los siguientes tipos de cama:

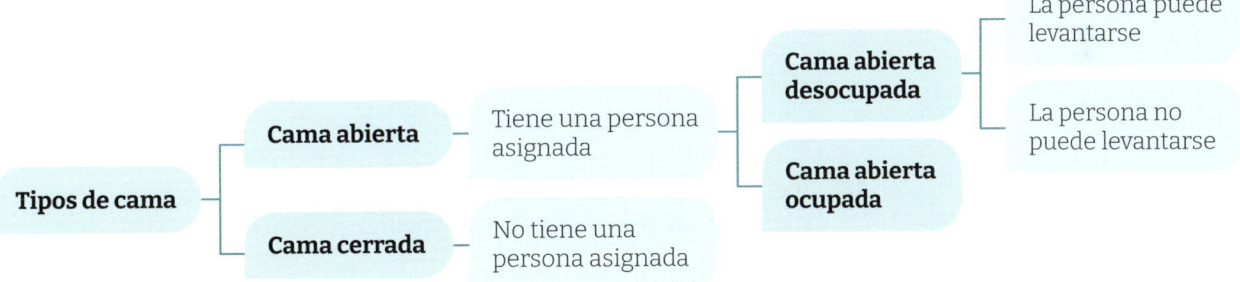

### 5.3.1. Técnicas para hacer una cama abierta

En todas las técnicas para hacer la cama en que la persona está en la habitación es necesario:

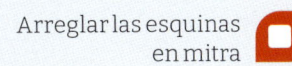

**Tarea 4**
Hacer la cama abierta
desocupada

**Tarea 5**
Hacer la cama
abierta ocupada

- **Explicarle qué vamos a hacer** y, si su colaboración es necesaria, darle las instrucciones oportunas y asegurarnos de que las ha comprendido bien. Si la persona permanece en la cama o en la habitación, no debemos ignorarla: aprovechemos para charlar con ella y mejorar la relación de confianza.

- **Preservar su intimidad**. Tanto si la ayudamos a levantarse como si hacemos la cama con la persona encamada, debemos aplicar las estrategias necesarias para preservar en lo posible su intimidad: cerrar la puerta o correr la cortina, arreglarle la ropa, ayudarla a ponerse la bata, no dejarla descubierta mientras sustituimos las sábanas, etc.

- **Dejarla acomodada**. Al terminar, ayudamos a la persona a acomodarse y dejamos la cama en una posición y altura que le resulten cómodas.

**¡Tenlo en cuenta!**

Un procedimiento básico que aplicarás en todos los tipos de camas es sujetar las esquinas de las sábanas o de la colcha en mitra o inglete. Los pasos que debes seguir son estos:

1. Remete la zona inferior.
2. Sujeta la tela por la esquina y levántala.
3. Con la otra mano, remete la ropa que queda colgando.
4. Baja la parte que habías levantado y arregla el pliegue.

Arreglar las esquinas
en mitra

Procedimiento 5.1.
## Hacer la cama abierta desocupada

Técnica para hacer la cama abierta desocupada

## Materiales

- Gel hidroalcohólico
- Guantes
- Bolsa para la ropa sucia
- Sábana bajera
- Sábana encimera
- Funda de almohada
- Si se requiere: entremetida, protector de cama o empapador, colcha

## Pasos que seguir

### Preparación

1. Deja los carros de ropa limpia y de ropa sucia en la puerta de la habitación.
2. Realiza una higiene de manos y ponte guantes.
3. Prepara los elementos de lencería necesarios, entra en la habitación y déjalos sobre una superficie limpia.
4. Saluda a la persona, infórmala del procedimiento y pídele su colaboración.
5. Ayuda a la persona a levantarse y acomodarse en el sillón.
6. Coloca la cama en posición horizontal y elévala a la altura que te permita trabajar cómodamente.

### Retirada de la ropa usada

7. Retira la colcha. Si la vas a reutilizar, resérvala.
8. Libera la sábana encimera y repliégala sobre sí misma. Deposítala en la bolsa de ropa sucia.
9. Retira la funda de la almohada y deposítala en la bolsa de ropa sucia. Reserva la almohada.
10. Libera la sábana bajera y repliégala sobre sí misma. Deposítala en la bolsa de ropa sucia. Si hay entremetida, retírala junto con la sábana bajera.

### Colocación de la ropa limpia

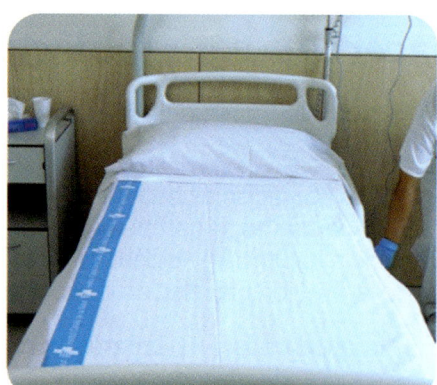

11. Extiende la sábana bajera sobre el colchón, sujeta sus cuatro extremos y remete los extremos y los laterales.
12. Coloca la entremetida, si es necesaria. Generalmente va situada en el tercio medio de la cama y fijada bajo el colchón por sus dos laterales.
13. Coloca la sábana encimera sobre la cama y extiéndela pliegue a pliegue. En la zona superior deja entre 20 y 50 cm de tela para el pliegue de cortesía.
14. Coloca la colcha, remétela por su parte inferior, junto con la sábana encimera, y arregla las esquinas inferiores en mitra. Los laterales no se remeten para que la ropa quede suelta y la persona pueda moverse libremente.
15. Haz el pliegue de cortesía en la zona superior, doblando la sábana encimera por encima de la colcha.
16. Coloca la funda limpia en la almohada y pon la almohada en su lugar.
17. Si la persona va a volver enseguida a la cama: abre la cama. Puedes hacerlo plegando la colcha y la encimera hacia fuera formando un triángulo para dejar la sabana bajera al descubierto o bien replegando la sábana encimera y la colcha hacia los pies de la cama.

### Pasos finales

18. Si es necesario, ayuda a la persona a volver a la cama.
19. Sal de la habitación y deposita la bolsa en el carro de ropa sucia.
20. Quítate los guantes y realiza una higiene de manos.
21. Registra el procedimiento.

Procedimiento 5.2.
## Hacer la cama abierta ocupada

Técnica para hacer la
cama abierta ocupada

## Materiales

- Gel hidroalcohólico
- Guantes
- Bolsa para la ropa sucia
- Sábana bajera
- Entremetida
- Sábana encimera
- Funda de almohada
- Si se requieren: protector de cama o empapador, manta, colcha

## Pasos que seguir

### Preparación

1. Deja los carros de ropa limpia y de ropa sucia en la puerta de la habitación.
2. Realiza una higiene de manos y ponte guantes.
3. Prepara los elementos de lencería necesarios, entra en la habitación y déjalos sobre una superficie limpia.
4. Saluda a la persona, infórmala del procedimiento y pídele su colaboración (durante todo el procedimiento deberás explicarle qué haces y cómo puede colaborar).
5. Coloca la cama en posición horizontal y elévala para poder trabajar cómodamente. Baja la barandilla del lado en el que vas a colocarte o, si sois dos personas, situaos una a cada lado y bajad las dos barandillas.

### Cambio de la sábana bajera y la entremetida

6. Retira la colcha y resérvala.
7. Libera las esquinas de la sábana encimera, manteniendo a la persona cubierta.
8. Retira la almohada, retírale la funda y resérvala.
9. Coloca a la persona en decúbito lateral contrario al que te encuentras, manteniéndola cubierta con la sábana encimera. Pídele que se sujete a la barandilla, a no ser que haya otra persona en el otro lado que la sujete.
10. Libera la sábana inferior del lado libre de la cama y ve doblándola junto con la entremetida, desde el lateral de la cama hacia el centro. Quedará replegada junto a la espalda de la persona, a lo largo de su cuerpo.
11. Coloca la sábana bajera limpia en el lado libre de la cama y extiéndela hacia el centro. Remete el lateral y fija las dos esquinas.

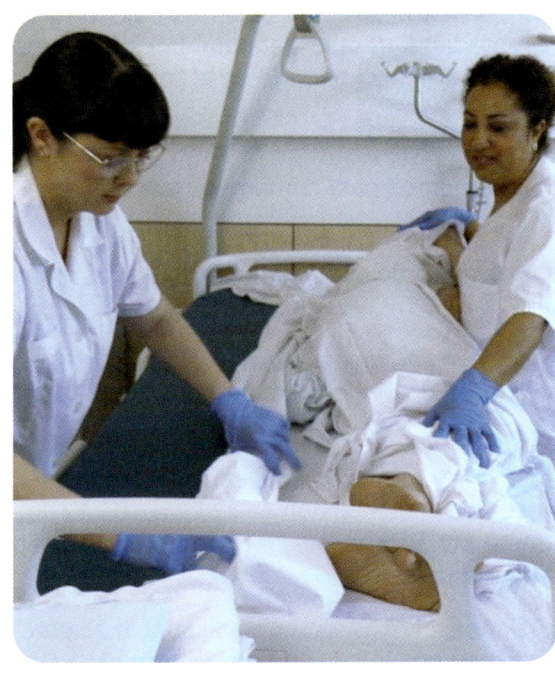

12. Coloca la entremetida con el mismo sistema, para que quede alisada y fijada en el lado libre, con la otra mitad replegada cerca de la espalda.
13. Si estás sola, sube la barandilla del lado de la cama en que estás. Cámbiate de lado y baja la otra barandilla.
14. Voltea a la persona hasta el otro decúbito lateral. Quedará tumbada sobre la parte ya extendida de la sábana limpia y cubierta con la sábana encimera. Pídele que se sujete a la barandilla, a no ser que haya otra persona en el otro lado que la sujete.
15. Libera la sábana bajera y ve doblándola junto con la entremetida hasta alcanzar el replegado del otro lado. Retira la sábana y la entremetida sucias y deposítalas en la bolsa.
16. La sábana bajera y la entremetida limpias estarán replegadas en el centro de la cama, despliégalas, remete el lateral y ajusta las esquinas.

Procedimiento 5.2. (cont.)
**Hacer la cama abierta ocupada**

**Cambio de la sábana encimera y colocación de la colcha**

**17.** Coloca a la persona en decúbito supino.

**18.** Empieza a replegar horizontalmente la sábana superior sucia, al tiempo que extiendes la limpia, para que la persona no quede descubierta en ningún momento. Puedes hacerlo empezando desde los pies o desde la zona superior.

**19.** Cuando la sábana sucia esté totalmente replegada y la limpia extendida, retira la sucia y colócala en la bolsa.

**20.** Coloca la colcha y ve desplegándola. Una vez extendida, remete la zona inferior de la colcha y de la sábana encimera y arregla las esquinas.

**21.** Haz el pliegue de cortesía con la sábana y la colcha.

**22.** Pon la funda a la almohada y colócala en su lugar.

**Pasos finales**

**23.** Coloca la cama en una posición y altura que sean cómodas para la persona.

**24.** Despídete, sal de la habitación y deposita la bolsa en el carro de la ropa sucia.

**25.** Quítate los guantes y realiza una higiene de manos.

**26.** Registra el procedimiento.

## 5.3.2. Técnica para hacer una cama cerrada

Una cama cerrada está desocupada pendiente de que se le asigne una persona. Generalmente, cuando la habitación queda vacía se retira la lencería sucia, se desinfectan o se cambian las fundas de colchón y almohada, y se sustituyen los materiales de uso personal por otros limpios. Seguidamente se procede a una limpieza a fondo de la habitación.

Cuando se va a producir el nuevo ingreso:

● Se revisan bien todos los elementos para comprobar que el nivel de limpieza es el adecuado.

● Se comprueba que los materiales de uso personal necesarios están en la habitación.

● Se añaden los elementos que la persona pueda necesitar y que no estén en la habitación, como cojines de posicionamiento, cuñas para pies o soportes para goteros.

● Se prepara la cama, teniendo en cuenta las necesidades de la persona que la va a usar: si necesita un cubrecolchón antiescaras, o hay que poner un protector absorbente, etc. El procedimiento es el mismo que para hacer una cama abierta desocupada.

Al terminar, se verifica que la cama está frenada y se dispone horizontal y a una altura adecuada, según la persona pueda andar, aunque sea con ayuda, o se vaya a hacer la transferencia con grúa o desde una camilla.

## Actividades

 Diagrama de flujo   Vídeo

**14.** Cita los tres tipos de cama que distinguimos, según la forma de hacerla. Para cada uno de ellos, explica en qué consiste.

**15.** Explica cuáles son los pasos previos comunes a todas las técnicas de preparación de la cama cuando esta tiene una persona asignada.

**16.** Las sábanas limpias no se extienden al aire, como solemos hacer en casa, sino que se colocan sobre la cama y se extienden pliegue a pliegue. Explica la razón de esta forma de proceder.

**17.** Explica cómo se debe proceder con la ropa sucia al hacer la cama.

**18.** Elaborad un **diagrama de flujo** con los pasos que sigue la preparación de una cama cerrada. Repetid el mismo diagrama para la cama desocupada, destacando los pasos que son diferentes.

**19.** Practicad la preparación de una cama abierta desocupada, tanto de manera individual como en parejas. Cuando tengáis un cierto manejo, cronometrad cuánto tardáis en ambos casos.

- Anotad las principales dificultades que os habéis encontrado.
- Valorad el resultado final de la cama.
- Valorad las ventajas e inconvenientes de hacerla individualmente o en parejas.

**20.** En grupos de cuatro, practicad la preparación de una cama ocupada por parejas (dos personas actúan como técnicos en atención a personas en situación de dependencia, una como paciente y la otra observa). Id alternando los roles. Cuando tengáis un buen manejo grabad un **vídeo** explicando el proceso completo.

## 5.4. La habitación de aislamiento

En ciertas situaciones de riesgo de infecciones podemos encontrar un tipo especial de habitación: la habitación de *aislamiento*.

 El aislamiento

> El **aislamiento** consiste en mantener a la persona afectada en unas instalaciones seguras, en las que todos los procedimientos se lleven a cabo aplicando unos protocolos especiales para evitar que microorganismos patógenos puedan entrar en ellas, o salir, según el caso.

### 5.4.1. Tipos de aislamiento

Podemos clasificar los aislamientos teniendo en cuenta su *finalidad* o el *mecanismo de transmisión de la infección*.

#### ›› Según su finalidad

Los aislamientos pueden ser: *aislamiento por enfermedad infecciosa* o *aislamiento inverso o protector*.

- **Aislamiento por enfermedad infecciosa**. Se aplica cuando la persona tiene una enfermedad infecciosa muy peligrosa y/o transmisible. Tiene como finalidad evitar que otras personas puedan contagiarse.

- **Aislamiento inverso o protector**. Cuando una persona está inmunodeprimida o tiene un estado de salud muy precario, contraer una enfermedad infecciosa puede llegar a poner en riesgo su vida. El aislamiento, en este caso, se aplica para impedir que la persona pueda contraer cualquier infección.

## ›› Según el mecanismo de transmisión de la infección

El mecanismo de transmisión de la infección, en el caso de los aislamientos por enfermedad infecciosa, determina las características del aislamiento. Así, podemos diferenciar entre:

La transmisión por aire y la transmisión por gotitas

- **Aislamiento respiratorio**. Se aplica cuando el tipo de infección hace que la persona enferma expulse partículas infecciosas en forma de aerosol, que contaminan el aire a su alrededor. Las mascarillas son elementos protectores imprescindibles en estas situaciones.

- **Aislamiento por gotas**. Las partículas infecciosas se liberan cuando la persona habla, tose o estornuda. Estas partículas tienen un tamaño mayor que las que se transmiten por el aire, por lo que no se mantienen en suspensión.

  Puesto que en el aire no hay partículas en suspensión la zona con riesgo de contagio se limita a la más cercana a la persona infectada. Se suele considerar que abarca un metro a su alrededor. También en este caso se requiere mascarilla.

- **Aislamiento de contacto**. Se aplica cuando la enfermedad es transmisible por contacto directo con la persona o con elementos que esta haya tocado.

  En estos casos se debe usar doble guante cuando se va a entrar en contacto con la persona enferma o con sus secreciones, o bien con apósitos, absorbentes u otros elementos similares que se le hayan colocado.

- **Aislamiento entérico**. Se aplica en el caso de enfermedades que se transmiten por contacto directo o indirecto con las heces de la persona infectada. En estas situaciones tendremos en cuenta que:

  - Si la persona puede levantarse, debe efectuar un lavado de manos correcto inmediatamente tras ir al baño.

  - Si usa cuña o absorbentes, la manipulación de estos materiales se debe realizar con la máxima precaución y usando doble guante.

- **Aislamiento parenteral**. Se aplica en caso de enfermedades transmisibles por la sangre, por líquidos orgánicos o por objetos contaminados por ellos. Para evitar el contagio se debe extremar el cuidado cuando se utilicen materiales punzantes o cortantes.

### · · · · ·
**¡Tenlo en cuenta!**

El tipo de procedimiento que se va a realizar también condiciona los equipos de protección individual (EPI) que es necesario usar. Así, en los procedimientos que generan salpicaduras se recomienda usar gafas o pantalla facial o en los que requieren intervenir sobre lesiones, usar guantes estériles.

### · · · · ·
**¡Tenlo en cuenta!**

De forma general se recomienda que las habitaciones de aislamiento sean individuales y dispongan de baño, aunque en ocasiones personas infectadas con el mismo microorganismo pueden compartir habitación.

## 5.4.2. La habitación de aislamiento en centros residenciales

Estas habitaciones cumplen los requisitos básicos de una unidad del paciente y otros requisitos adicionales, como son:

- Las paredes, suelos, mobiliario y demás elementos de la habitación deben estar fabricados con materiales que se pueden higienizar debidamente.

- En el exterior de la habitación:

  - Se debe señalizar que es una habitación de aislamiento, y concretar de qué tipo de aislamiento se trata y qué EPI se deben usar.

  - Se deben disponer los EPI necesarios y contenedores para depositarlos una vez retirados.

- Para reducir en lo posible las entradas y salidas de materiales, se dejan dentro de la habitación algunos materiales y equipos para uso exclusivo, como equipos médicos, productos de limpieza o productos sanitarios.

- El protocolo de limpieza y desinfección es específico para este tipo de habitación.

Existen habitaciones diseñadas especialmente para aislamientos, aunque en ocasiones se habilitan habitaciones estándar.

## >> Habitación de aislamiento

Las habitaciones preparadas específicamente para aislamiento disponen de dos elementos diferenciadores: una *esclusa* a la entrada y un *sistema de ventilación* propio.

- **Esclusa**. Es una pequeña sala con una puerta que da al exterior y otra de acceso a la habitación; sus dos puertas no deben estar abiertas a la vez en ningún momento.

  En ella están los EPI necesarios y las bolsas o contenedores que deben usarse para desecharlos. Es el lugar en que se colocan y retiran los EPI.

 La presión de aire

- **Sistema de ventilación**. Puede ser de dos tipos:

  - **De presión negativa**. Se aplica en los aislamientos por enfermedad infecciosa.

    El sistema de ventilación succiona aire de la habitación y lo filtra. Esto genera una presión negativa, lo que hace que al abrir la puerta el movimiento del aire sea desde el exterior hacia el interior, lo que impide que el aire contaminado salga de la habitación.

  - **De presión positiva**. Se aplica en los aislamientos protectores.

    El sistema de ventilación capta aire exterior, lo filtra y lo bombea dentro de la habitación. Esto genera una presión positiva, lo que hace que al abrir la puerta el movimiento del aire sea desde el interior hacia el exterior, lo que impide que el aire potencialmente contaminado entre en la habitación.

## >> Habitación estándar habilitada

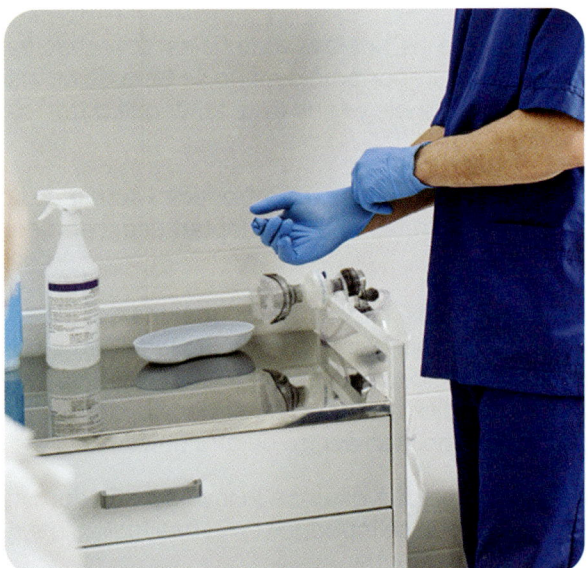

En algunos casos poco graves se puede habilitar una habitación estándar para aislamiento. En estas situaciones se señaliza la habitación, indicando el tipo de aislamiento de que se trata y los EPI necesarios para acceder.

Junto a la puerta de la habitación, en el pasillo, se sitúa un carro en el que se coloca un dispensador de PBA (producto de base alcohólica) y los elementos de protección que corresponda usar, así como un contenedor para depositar los elementos de protección usados.

El resto de las características y los procedimientos se aplican como en cualquier habitación de aislamiento.

**Fig. 5.9.** En el exterior de una habitación estándar habilitada se coloca un carro con los materiales necesarios para protegerse antes de entrar.

### 5.4.3. El aislamiento domiciliario

Existen distintas situaciones en las que se recomienda establecer un cierto grado de aislamiento en el domicilio. En cada caso, el personal sanitario proporcionará la información necesaria para aplicar correctamente el aislamiento, aunque hay algunas recomendaciones generales, como:

- La habitación debe ser individual.

- Lo ideal es que tenga baño o que se asigne un baño de la casa para uso exclusivo de la persona enferma. Si no hay opción y otras personas deben compartir el mismo baño, será necesario extremar las medidas higiénicas.

- La puerta de la habitación se debe mantener cerrada y se deben restringir en lo posible las entradas y salidas.

- Junto a la puerta se debe colocar un dispensador de PBA y, si son necesarios, mascarillas, guantes o los elementos que corresponda.

### 5.4.4. Precauciones generales

Existen distintos niveles y tipos de aislamiento, aunque hay una serie de precauciones generales que se ponen en práctica en todos ellos. Son medidas relativas a:

- **La higiene de manos y el uso de guantes**. Los principios sobre la higiene de manos y el uso de guantes que se aplican en cualquier habitación son válidos también aquí.

- **Los procedimientos**. Todos los procedimientos, tanto los sanitarios como los de cuidados y limpieza, se deben realizar adoptando las máximas precauciones y siguiendo las pautas establecidas por el personal sanitario.

- **La entrada y la salida de personas**. El movimiento de personas debe ser el mínimo y cualquier persona que vaya a entrar a la habitación se debe colocar los EPI que correspondan al nivel de aislamiento.

- **La entrada y salida de materiales**. En estas habitaciones se limita en lo posible la entrada y salida de materiales. Para conseguirlo:

  - Diversos materiales, productos y equipos necesarios para el cuidado y el tratamiento se mantienen dentro de la habitación.

  - Se usan, en los casos en que es posible, materiales desechables. Esta medida es especialmente importante cuando se trata de un aislamiento por enfermedad infecciosa, ya que evita tener que tratar los materiales contaminados.

  A pesar de ello, hay materiales que es necesario introducir y retirar de la habitación. Las precauciones concretas que se adoptan dependen del tipo de aislamiento:

  - En el aislamiento por enfermedad infecciosa los materiales que están dentro de la habitación se consideran contaminados. Para su retirada se aplica el «sistema de doble bolsa»: los materiales se van depositando en bolsas o recipientes que, al terminar, se cierran, se sacan de la habitación y se depositan dentro de otra bolsa.

  - En el aislamiento inverso o protector ocurre a la inversa: se adoptan precauciones con el material que se introduce en la habitación, mientras que la retirada no es problemática.

## Actividades

 Mapa de doble burbuja   Diagrama de flujo   Mapa de árbol

**21.** Indica similitudes y diferencias que hay entre el aislamiento por enfermedad infecciosa y el aislamiento inverso. Puedes utilizar un **mapa de doble burbuja**.

**22.** Explica cómo ayuda el conocimiento de la cadena epidemiológica de una enfermedad infecciosa a plantear las mejores medidas de aislamiento.

**23.** Elabora un **diagrama de flujo** que muestre los pasos necesarios para entrar en una habitación de aislamiento.

**24.** Explica en qué consisten los sistemas de presión de aire positiva y negativa, y en qué tipo de habitación de aislamiento se utiliza cada uno de ellos.

**25.** Durante la atención a una persona en aislamiento por enfermedad infecciosa, los residuos contaminantes se van depositando en una bolsa roja. Describe cómo se realizará la retirada de esa bolsa.

**26.** Elabora un **mapa de árbol** que muestre las principales medidas de protección dependiendo de la vía de transmisión de la enfermedad.

**27.** Colócate doble guante y practica su retirada. Cita dos situaciones en que se recomienda el uso de doble guante.

**RETO 5.1**
**Clara empieza con la preparación de habitaciones**
**Tarea final:** Preparar una *chek-list* sobre las tareas que supone la preparación de la habitación.

## ¿Qué sabes ahora de...?

Reflexiona y valora tus conocimientos respecto a cada una de las siguientes cuestiones:

- ¿Sabes qué muebles debe haber en la habitación de una persona encamada?
- ¿Sabes qué características deben reunir las camas de un centro residencial?
- ¿Sabes cómo cambiar las sábanas cuando la persona no puede levantarse de la cama?
- ¿Sabes cuándo se aplica un aislamiento?

 Ni idea

 Me suena

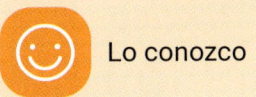 Lo conozco

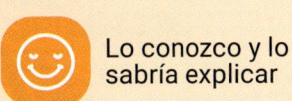 Lo conozco y lo sabría explicar

**Unidad de trabajo**

# 6 La higiene personal

## ¿Qué sabes de...?

☹ 😐 🙂 😊

- ¿Sabes qué son las úlceras por presión?
- ¿Sabes qué productos de apoyo pueden facilitar la ejecución de los procedimientos de higiene corporal?
- ¿Sabes cómo se realiza la higiene bucodental a una persona que no puede enjuagarse la boca?
- ¿Sabes en qué orden se deben lavar y secar las distintas partes del cuerpo en un aseo completo de una persona encamada?
- ¿Sabes cómo vestir a una persona encamada?

⭐  **RETO 1**
Atención a los cuidados de higiene de Lucía

⭐  **RETO 2**
Campaña de concienciación para la prevención y tratamiento de las UPP

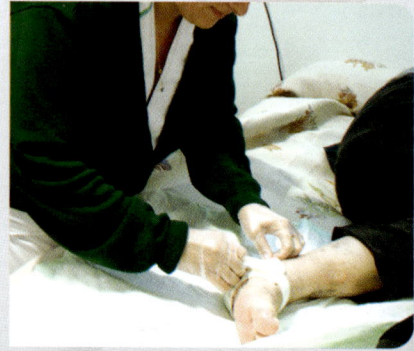

1. **La higiene personal**

2. **La piel y las mucosas externas**

## La higiene personal

3. **Las úlceras por presión**

5. **Técnicas de vestido y calzado**

4. **Aseos parciales y aseo completo**

## 6.1. La higiene personal

**1** **Tarea 1**
Valorar los cuidados de higiene que requiere Lucía

La **higiene personal** es el conjunto de medidas que tienen como objetivo la conservación de la salud y la prevención de enfermedades mediante el aseo del cuerpo.

### 6.1.1. Los efectos de la higiene personal en el ser humano

Desde una perspectiva bio-psico-social, la higiene personal tiene una incidencia positiva sobre los tres ámbitos: *biológico*, *psicológico* y *social*.

#### » Ámbito biológico

La higiene corporal es clave en dos aspectos relacionados con la salud:

- **Prevención**. El cuidado de la piel ayuda a mantener su integridad. Es necesario mantenerla limpia y bien seca, y con un buen nivel de hidratación para que mantenga su flexibilidad.

- **Detección precoz de lesiones**. Durante el aseo debemos observar el estado de su piel para detectar lesiones o alteraciones de forma precoz. De esta forma se podrá iniciar rápidamente el tratamiento, lo cual incrementa las posibilidades de curación y reduce el riesgo de complicaciones.

La importancia de la prevención y de la detección precoz aumenta en el caso de las personas en situación de gran dependencia, ya que hay factores que incrementan los riesgos para ellas:

- La **inmovilidad** hace que las zonas de su cuerpo sometidas a presión puedan lesionarse. En este caso se producen úlceras por presión (UPP), que estudiaremos en esta unidad.

- La **insensibilidad** hace que la persona pueda tener lesiones que no perciba, ya que no siente las molestias o el dolor.

#### » Ámbito psicológico

La persona se siente más cómoda y relajada cuando está aseada. Además, con la aplicación de las actividades de higiene percibe que alguien se preocupa de que esté bien. Desde esta perspectiva es muy importante:

- **Fomentar la autonomía personal**. Es importante animarla a que realice las actividades que pueda hacer por sí misma. Si es el caso, se le proporciona la ayuda necesaria o se le enseña a usar productos de apoyo.

- **Preservar la intimidad**. Las actividades de aseo pueden resultar incómodas para algunas personas. Para evitar que se sienta incómoda o avergonzada debemos cerrar la puerta o correr las cortinas antes de empezar y evitar en lo posible dejar su cuerpo totalmente descubierto.

#### » Ámbito social

Una higiene personal cuidada favorece la relación social. Llevar la ropa manchada o el pelo desarreglado puede suponer una barrera para las relaciones sociales, por ejemplo, puede hacer que la persona se sienta incómoda ante el personal y ante las visitas o, en el caso de que viva en su domicilio, que no quiera salir de él.

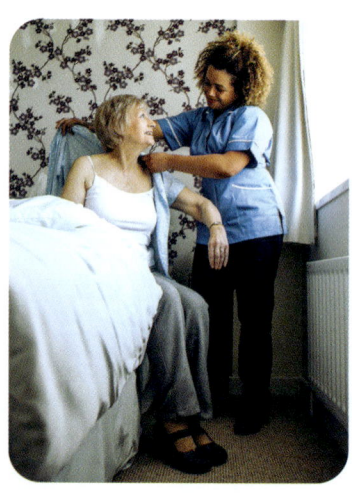

**Fig. 6.1.** Una correcta higiene personal mejora el bienestar y favorece las relaciones sociales.

## 6.1.2. El nivel de ayuda necesario

Podemos encontrar diferentes necesidades de apoyo para las actividades de higiene personal. De forma general podemos distinguir entre actividades en que:

- **No requiere apoyo**. La persona es autónoma para realizar esa actividad.

- **Requiere supervisión**. La persona realiza la tarea por sí misma, pero requiere supervisión o recordatorios para hacerlo de manera segura y correcta.

- **Requiere ayuda personal**. La persona necesita la ayuda de otra para realizar la actividad o partes de ella.

- **Requiere que alguien realice la actividad por ella**. La persona no puede realizar la actividad por sí misma, ni con ayuda. Es necesario que sea otra persona quien la lleve a cabo.

Es importante destacar que el nivel de apoyo necesario puede variar según las características del entorno, especialmente del cuarto de baño, y de los productos de apoyo disponibles. Por ejemplo, una persona puede ser incapaz de ducharse si ha de entrar en una bañera para hacerlo, pero puede hacerlo sin problema en una ducha sin escalones, que no resbale y que disponga de barras para sujetarse.

## 6.1.3. Medidas de prevención y protección

Las actividades de higiene conllevan diversos riesgos, tanto para la persona usuaria como para el personal:

- **Persona en situación de dependencia**:

  - **Riesgo de sufrir resbalones y caídas**. Para prevenirlo es importante que el baño del suelo sea antideslizante y que disponga de barras de sujeción.

  - **Riesgo de lesiones musculoesqueléticas**. Forzar movimientos durante las actividades de higiene puede causar dolor y generar o agravar lesiones. La persona debe conocer sus limitaciones y, cuando corresponda, usar productos de apoyo que la ayuden a realizar las tareas con las que tiene dificultades.

  - **Riesgo de sufrir lesiones en la piel**. Especialmente si su piel es frágil, un frotado enérgico al lavar o al secar o ciertas sujeciones en las movilizaciones pueden provocarle lesiones.

  - **Riesgo de infección**. Cualquier pequeña lesión puede infectarse. Por ello es esencial prevenir la aparición de lesiones e inspeccionar la piel para detectar y poder tratar de forma precoz cualquier lesión que se forme. Unas prácticas higiénicas correctas al realizar las actividades de higiene personal serán claves en la prevención.

- **Personal**. El riesgo más destacado para el personal es el de lesionarse al realizar movilizaciones. Por ello es esencial aplicar los principios de ergonomía y hacer cada movilización de forma segura, siguiendo el protocolo establecido. En algunos casos se puede recurrir a productos de apoyo, como grúas o bandas de movilización.

Otro riesgo es el de infección, que puede ocurrir a partir de lesiones infectadas o por contacto con orina, heces o secreciones.

## Actividades

1. Argumenta la importancia de fomentar la autonomía personal en las actividades de higiene personal desde el punto de vista del estado psicológico y desde el punto de vista del estado físico.

2. La higiene de manos y el uso de guantes son medidas que protegen tanto a la persona usuaria como a la que la está atendiendo. Explica de qué protegen en cada caso y qué consecuencias podría tener para cada una el incumplimiento de esta norma básica de higiene.

# 6.2. La piel y las mucosas externas

El cuidado de la piel y la detección precoz de lesiones en ella son objetivos que debemos tener presentes durante las labores de higiene personal. Para entender qué cuidados requiere la piel y qué lesiones se forman en ella es necesario que, antes de explicar procedimientos de higiene personal, hagamos un recordatorio sobre la estructura de la piel y sobre sus lesiones.

## 6.2.1. La piel

**Tarea 1**
Preparar los contenidos de anatomía y fisiología de la piel

> La **piel** es el órgano que recubre externamente el organismo.

### ❯❯ Funciones de la piel

La piel tiene tres funciones principales:

- **Protección** frente a agresiones mecánicas, térmicas y químicas. Es destacable su función como barrera frente a la entrada o proliferación de microorganismos. También protege de las lesiones solares y evita la pérdida de líquidos.

- **Regulación de la temperatura**. La grasa subcutánea actúa como aislante térmico. Además, la contracción o relajación de los vasos sanguíneos de la piel y la posibilidad de secretar sudor son mecanismos de regulación de la temperatura.

- **Sensibilidad**. La piel contiene receptores nerviosos para el tacto fino, la presión, el dolor, el frío y el calor.

La piel

### ❯❯ Capas de la piel

La piel está formada por tres capas: la *epidermis*, la *dermis* y la *hipodermis*.

- **Epidermis**. Está formada por varias capas de células planas. Las células de la capa superior están recubiertas por queratina, que la hace impermeable. Además, su superficie tiene un pH de 5,5 y una elevada salinidad, lo que la hace un ambiente hostil para los microorganismos.

**¡Tenlo en cuenta!**

En las capas más profundas de la epidermis hay melanocitos, unas células especializadas en la síntesis de la melanina la cual es un pigmento fotoprotector que preserva al organismo de los efectos lesivos de las radiaciones ultravioleta.

- **Dermis**. Es la capa intermedia. Es una capa flexible de tejido conjuntivo que contiene nervios, vasos sanguíneos y linfáticos, y receptores sensitivos. En ella también hay glándulas y los anclajes de los anexos cutáneos córneos (pelos y uñas).

- **Hipodermis o tejido adiposo subcutáneo**. Es una capa formada por tejido conjuntivo y tejido adiposo.

## ›› Anexos cutáneos

> Los **anexos cutáneos** son estructuras asociadas a la piel con unas funciones específicas.

Distinguimos entren anexos *glandulares* y anexos *córneos*:

- **Anexos glandulares**.

  - **Glándulas sudoríparas**. Secretan sudor, que interviene en la regulación de la temperatura y en la eliminación de algunas sustancias de desecho.

  - **Glándulas sebáceas**. Secretan una sustancia grasienta, el sebo, que lubrica e impermeabiliza la piel.

- **Anexos córneos**.

  - **Pelos**. Están formados por escamas de queratina. Su raíz se encuentra dentro de folículos pilosos, situados en la dermis.

  - **Uñas**. Son láminas de queratina curvadas. Las uñas crecen ininterrumpidamente, medio milímetro cada semana, más rápido en verano que en invierno y más rápido en las manos que en los pies.

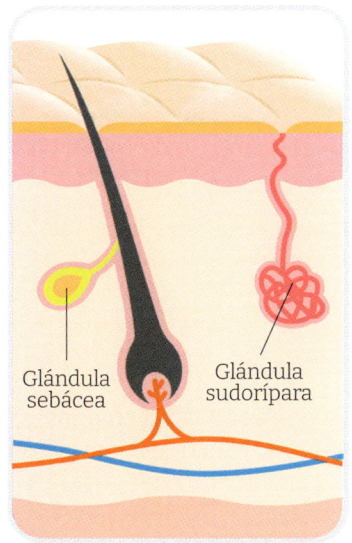

Glándula
sebácea

Glándula
sudorípara

**Fig. 6.2.** Anexos glandulares.

## 6.2.2. Las mucosas externas

> Las **mucosas externas** son las capas que recubren la zona exterior de cavidades o conductos del cuerpo (ojos, nariz, boca, ano, meato urinario, ano, vagina y glande).

Su estructura es parecida a la de la piel, pero con algunas diferencias:

- Carecen de queratina, por lo que tienen menos protección que la piel.

- Poseen glándulas que secretan una sustancia mucosa que las recubre. Esta sustancia impide la fijación de microorganismos.

- Tienen células que secretan lisozima, una enzima que destruye la pared celular de muchas bacterias.

## 6.2.3. Agentes que pueden lesionar la piel

Muchos agentes pueden causar lesiones en la piel. Distinguimos entre agentes *externos* e *internos*.

## ›› Agentes externos

Pueden ser de distintos tipos:

- **Agentes físicos**. Agentes físicos. Las personas que deben permanecer encamadas o sentadas tienen mayor riesgo de sufrir alteraciones en la piel por agentes físicos. Los agentes lesivos más destacados en estas situaciones son:

  - **Inmovilidad**. La presión del propio cuerpo puede lesionar la piel en las zonas de apoyo.

  - **Fricción**. Puede producirse con el colchón o la ropa de cama, con elementos de sujeción o con dispositivos sanitarios, como gafas nasales o sondas.

- **Humedad**. Compromete el buen estado de la piel y favorece la proliferación de microorganismos. Se puede deber a una incontinencia o a un secado deficiente en el aseo personal.

- **Suciedad**. Tanto una piel sucia como el uso de textiles o materiales sucios pueden ser causa de infección de la piel, especialmente si ya existe alguna lesión en ella.

- **Agentes químicos**. Distintas sustancias químicas pueden causar dermatitis irritativa o dermatitis alérgica. Las sustancias con efecto irritativo o alérgico pueden estar presentes en geles de baño, champús, cremas hidratantes, desinfectantes, etc. Para reducir el riesgo de dermatitis por contacto es recomendable usar productos de higiene hipoalergénicos.

- **Agentes biológicos**. A menudo, la infección cutánea se produce a partir de una lesión previa, donde la piel ha perdido su integridad y su capacidad protectora.

### ❯❯ Agentes internos

La alimentación equilibrada y una correcta de hidratación influyen positivamente en la salud de la piel. Las alteraciones nutricionales o de hidratación se reflejarán en la piel, que perderá flexibilidad, se resecará y será más sensible a sufrir lesiones por fricción, presión, etc. Existen, además, diversos grupos de enfermedades o trastornos que pueden producir lesiones cutáneas, como algunas reacciones de hipersensibilidad, enfermedades autoinmunes o cánceres cutáneos.

## 6.2.4. Lesiones elementales de la piel

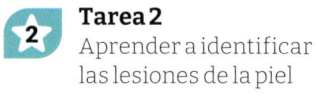
**Tarea 2**
Aprender a identificar las lesiones de la piel

Las lesiones cutáneas pueden agruparse en dos grandes categorías:

- **Lesiones primarias**: son lesiones que aparecen en la piel sana. Por tanto, sus características proporcionan información sobre su posible causa.

- **Lesiones secundarias**: son lesiones que se forman por modificación de una lesión primaria, por ejemplo, por rascado o infección.

Existen muchas lesiones de ambos tipos. Las siguientes tablas muestran algunas de las más comunes.

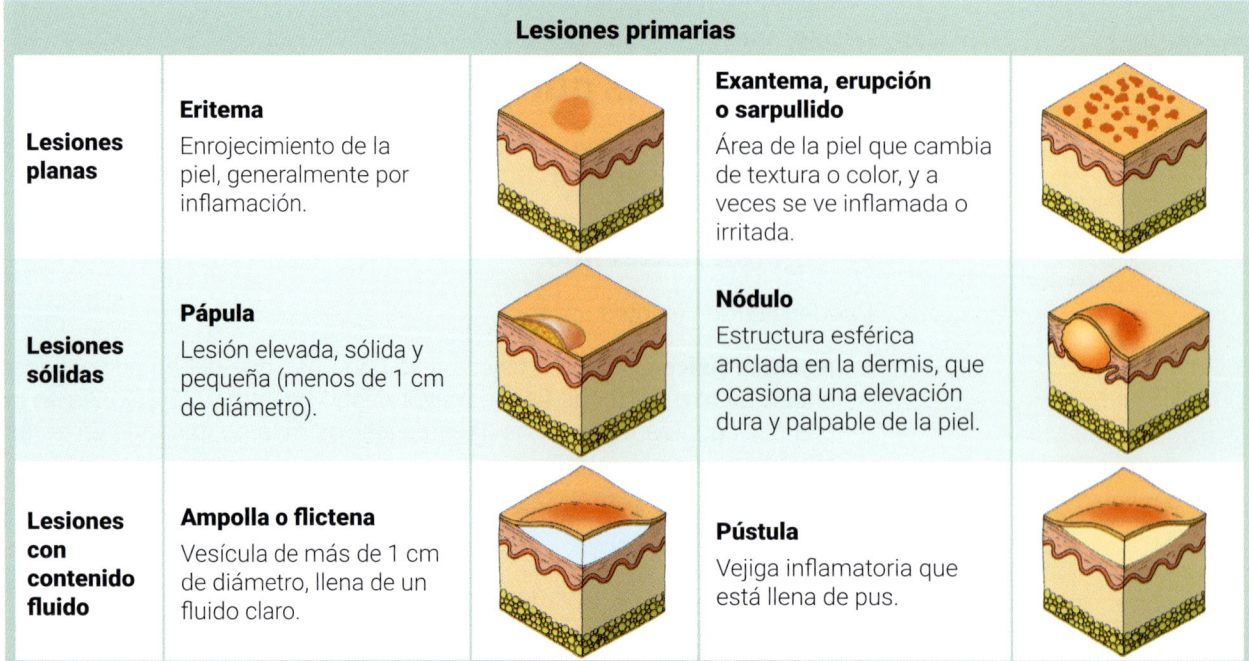

| Lesiones primarias | | | |
|---|---|---|---|
| **Lesiones planas** | **Eritema** Enrojecimiento de la piel, generalmente por inflamación. | **Exantema, erupción o sarpullido** Área de la piel que cambia de textura o color, y a veces se ve inflamada o irritada. | |
| **Lesiones sólidas** | **Pápula** Lesión elevada, sólida y pequeña (menos de 1 cm de diámetro). | **Nódulo** Estructura esférica anclada en la dermis, que ocasiona una elevación dura y palpable de la piel. | |
| **Lesiones con contenido fluido** | **Ampolla o flictena** Vesícula de más de 1 cm de diámetro, llena de un fluido claro. | **Pústula** Vejiga inflamatoria que está llena de pus. | |

### Lesiones secundarias

**Escama**

Lesión seca y fácilmente exfoliable debida a la acumulación de células queratinizadas.

Las escamas pueden ser causadas por piel seca, ciertas afecciones inflamatorias de la piel o infecciones.

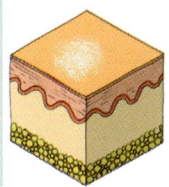

**Erosión**

Pérdida de la epidermis, secundaria a la rotura de una vesícula.

También se puede deber a una herida, generalmente por rozadura.

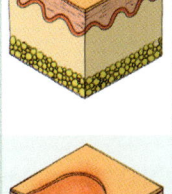

**Úlcera**

Pérdida de la epidermis y la dermis en forma de cráter, con exudación.

En personas en situación de dependencia destacan las UPP.

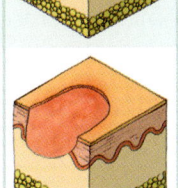

### Lesiones secundarias

**Fisura**

Lesión de la piel en forma de surco pequeño y profundo.

A menudo se forman en zonas de la piel expuestas a movimientos frecuentes, como las manos, los pies o las comisuras de los labios.

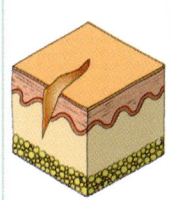

**Excoriación**

Pérdida de la epidermis, con la dermis expuesta.

Es una erosión generalmente producida por un rascado agresivo.

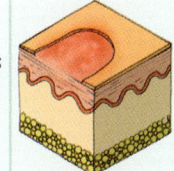

**Liquenificación**

Epidermis rugosa y engrosada.

La causa más común son los roces o rascados repetitivos.

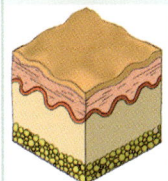

---

## Actividades

Mapa mental      Veo, pienso, me pregunto   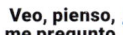    Mapa de árbol      Mapa de burbujas expandidas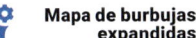

**3.** Elabora un **mapa mental** con los conceptos relacionados con la anatomía y la fisiología de la piel.

**4.** Explica en qué se diferencian las mucosas externas y la piel. ¿Cómo crees que influyen estas diferencias en sus cuidados higiénicos?

**5.** Imagina que le tienes que explicar a una persona en situación de dependencia la importancia de la piel para la preservación de su salud y describirle las medidas de cuidado básicas, con el fin de concienciarla de la necesidad de cuidar convenientemente su piel.

- Haz una lista de las ideas más relevantes que le quieres transmitir.

- Después, organizad un *role playing* por parejas para poner en práctica la explicación.

**6.** Aplica la rutina de **Veo, pienso, me pregunto**. Observa la imagen y escribe: ¿qué observas?, ¿qué piensas acerca de la imagen?, ¿qué te preguntas después de haber reflexionado sobre ella?

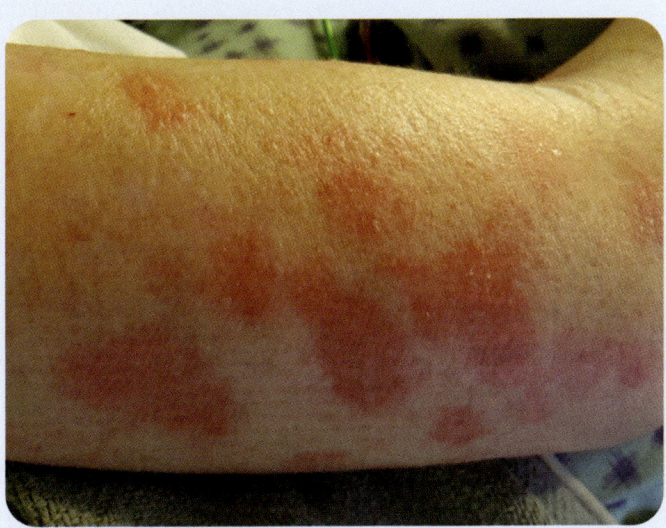

**7.** Elabora un **mapa de árbol** que muestre una clasificación de las lesiones elementales de la piel.

**8.** Elabora un **mapa de burbujas expandidas** que explique los agentes físicos, químicos y biológicos que pueden actuar como agentes lesivos para la piel de una persona que debe permanecer encamada.

**9.** Propón medidas que podrías adoptar para minimizar el efecto de los agentes lesivos que has incluido en la actividad anterior.

# 6.3. Las úlceras por presión

En el caso de las personas que permanecen encamadas o sentadas hay un tipo de lesión que es especialmente importante, por su frecuencia y potencial gravedad: las *úlceras por presión*.

> Las **úlceras por presión** (UPP) son lesiones con pérdida de sustancia de la piel y de los tejidos situados por debajo de ella.

Una úlcera supone la pérdida de la barrera de protección en la zona lesionada que, por tanto, queda expuesta y puede infectarse fácilmente. Si además las condiciones que la han provocado se mantienen, la lesión puede complicarse hasta el extremo de provocar incluso la necrosis de la zona lesionada o infecciones sistémicas. Por todo ello, la prevención de las úlceras y la detección de sus primeros signos son tareas destacadas en el cuidado de personas en situación de dependencia que deben permanecer mucho tiempo inmóviles.

## 6.3.1. La formación de las úlceras por presión

Las úlceras se forman en zonas del cuerpo que presentan prominencias óseas, las cuales, al quedar apoyadas sobre una superficie más o menos dura (el colchón, el asiento de la silla de ruedas u otras similares) ejercen presión sobre la piel y los tejidos blandos que las cubren.

Esta presión dificulta la irrigación de la zona y puede llegar a interrumpirla. La falta de irrigación va afectando a los tejidos y acaba provocando una úlcera.

### ❯❯ Fases de la formación

Distinguimos cuatro fases o estadios en la formación de las úlceras.

- **Fase 1**. La piel se mantiene íntegra, pero se observa un eritema que no desaparece al retirar la presión.

- **Fase 2**. Hay una pérdida parcial de tejido que afecta a la epidermis y puede llegar a afectar a la dermis. Tiene aspecto de abrasión, ampolla o cráter superficial.

- **Fase 3**. Hay una pérdida de epidermis y dermis, y una exposición de la hipodermis, con lesiones en esta última capa.

- **Fase 4**. Hay una pérdida de las tres capas de la piel y se producen lesiones en tejidos más internos: músculos, huesos, tendones, cápsulas articulares, etc.

La fase en que se encuentra una úlcera se utiliza para clasificarla. Cuantas más capas se ven comprometidas y más extensión tiene la lesión, mayor es el riesgo de infección.

### ❯❯ Factores de riesgo

Los factores de riesgo más destacados son los siguientes, que podemos denominar «las cuatro íes»:

- **Inmovilidad**. La inmovilidad provoca que la piel situada sobre prominencias óseas se vea sometida a presión de forma continuada.

. . . . .
**¡Tenlo en cuenta!**

Otra posible zona de aparición de UPP son los lugares donde se apoyan dispositivos de diagnóstico o de tratamiento (gafas nasales, mascarillas, férulas, yesos...).

Lesiones por presión

**Tarea 3**
Identificar el estado de desarrollo de las UPP

- **Insensibilidad**. La incapacidad para percibir que una zona del cuerpo está sometida a presión y se está lesionando dificulta que la persona pueda actuar para evitarlo.

- **Inconsciencia**. En este caso se suman los dos factores anteriores, la inmovilidad y la insensibilidad.

- **Incontinencia**. La incontinencia, especialmente si la persona no se da cuenta cuando está mojada, puede provocar que algunas zonas con riesgo de sufrir úlceras permanezcan húmedas, lo cual propicia su ulceración e infección.

## 6.3.2. Estrategias de prevención de las úlceras por presión

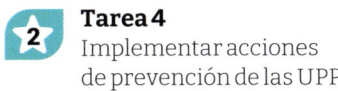

**Tarea 4**
Implementar acciones de prevención de las UPP

Uno de los aspectos que se controla de forma especial en las personas que deben permanecer encamadas es el riesgo de aparición de UPP. Para hacerlo, el personal de enfermería aplica protocolos de valoración de riesgo (Doc. 6.1) y establece las medidas preventivas más convenientes según el nivel de riesgo obtenido.

Las medidas preventivas incluyen prácticamente todos los ámbitos del cuidado de la persona e implican a todas las personas que participan en él. El personal técnico debe conocer las medidas planificadas y aplicarlas al levar a cabo su trabajo. Las medidas preventivas, de forma general, se centran en:

- Mantener la piel sana y realizar observaciones para que, si se inicia la formación de una úlcera, detectarla de forma precoz.

- Prestar atención a los elementos que puedan producir presión o fricción.

- Realizar cambios posturales.

- Utilizar dispositivos especiales.

---

**Documento 6.1.**
**La valoración del riesgo de úlceras por presión**

La valoración del riesgo de UPP la lleva a cabo el personal de enfermería aplicando el procedimiento normalizado que tenga establecido el centro. El resultado de esta valoración se utiliza para establecer las medidas preventivas que se van a aplicar en cada caso.

Los procedimientos se basan en el uso de escalas de valoración validadas, como las de Norton, Braden o Waterlow. La de Norton, que es la más utilizada, cuenta con la siguiente valoración:

| Estado físico | | Estado mental | | Actividad | | Movilidad | | Incontinencia | |
|---|---|---|---|---|---|---|---|---|---|
| **Nivel** | **Puntos** | **Nivel** | **Puntos** | **Nivel** | **Puntos** | **Nivel** | **Puntos** | **Nivel** | **Puntos** |
| Bueno | 4 | Alerta | 4 | Deambula | 4 | Total | 4 | Ninguna | 4 |
| Medio | 3 | Apático | 3 | Con ayuda | 3 | Disminuida | 3 | Ocasional | 3 |
| Pobre | 2 | Confuso | 2 | Sentado | 2 | Muy limitada | 2 | Urinaria o fecal | 2 |
| Malo | 1 | Coma | 1 | Encamado | 1 | Inmóvil | 1 | Urinaria y fecal | 1 |

Se puntúa cada uno de los cinco aspectos recogidos en la tabla con un valor de 1 a 4 y se suman los cinco valores para obtener el resultado (que estará entre 5 y 20):

- Entre 5 y 9: riesgo muy alto.
- Entre 13 y 14: riesgo medio.
- Entre 10 y 12: riesgo alto.
- Más de 14: riesgo mínimo o sin riesgo.

## ›› Mantener la piel sana y realizar observaciones

Si la piel está reseca, agrietada o irritada el riesgo de que se lesione aumenta. Por tanto, mantener la piel cuidada es una medida preventiva importante. Esto se consigue mediante:

- **Un estado nutricional adecuado**. La persona debe seguir una dieta equilibrada; si es necesario se le han de proporcionar las ayudas necesarias para que pueda ingerirla.

- **Un nivel correcto de hidratación**. Las personas de más edad pueden no notar sed, aunque tengan cierto grado de deshidratación. Es conveniente asegurarse de que toman suficientes líquidos.

- **Una higiene correcta de la piel**. Es especialmente importante secar muy bien tras realizar la higiene corporal para evitar que queden zonas húmedas. También se deben establecer medidas para que las personas con incontinencia urinaria no permanezcan mojadas.

- **Una buena hidratación de la piel**, aplicando productos hidratantes.

Además, al realizar las tareas de higiene, el personal técnico debe observar la piel de la persona y comunicar al personal de enfermería cualquier lesión o indicio de lesión que detecte.

## ›› Prestar atención a los elementos que puedan producir presión o fricción

Cualquier elemento que pueda producir presión o fricción favorecerá la aparición de úlceras. Esto debemos tenerlo presente en todas las intervenciones que realicemos. Por ejemplo, arrugas de tela o un cable o tubo que queden bajo el cuerpo serán elementos que incrementarán la presión en la piel que quede sobre ellos.

También es importante tener en cuenta que una elevación del cabecero por encima de los 30° hace aumentar el peso que soporta la zona sacra y, por tanto, aumenta la presión en ella. Por tanto, no debemos mantener incorporadas más tiempo del imprescindible a las personas encamadas con un riesgo elevado de sufrir úlceras.

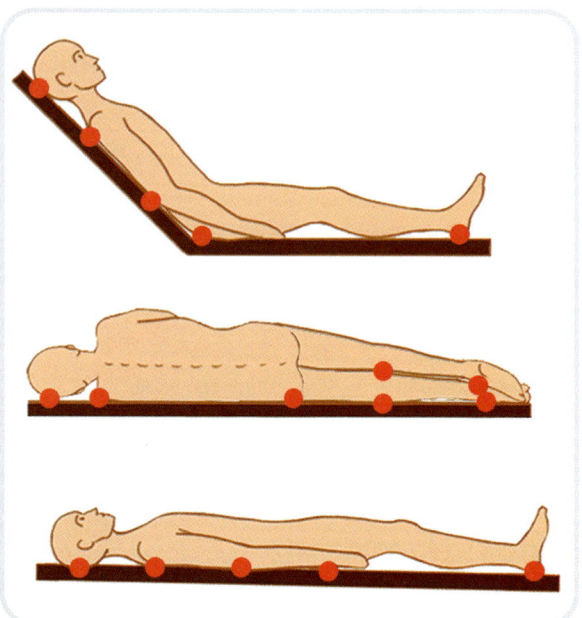

**Fig. 6.3.** Las zonas de riesgo de aparición de úlceras por presión varían según la posición.

## ›› Realizar cambios posturales

Los procedimientos más específicos para la prevención de las UPP son los *cambios posturales*.

> Los **cambios posturales** son cambios periódicos y planificados de postura para evitar que las zonas con prominencias óseas se vean sometidas a una presión continuada.

Los cambios posturales se planifican para garantizar que las zonas del cuerpo sometidas a presión se cambian de forma periódica. La planificación nos indica cuándo debemos efectuar los cambios de posición y en qué posición debemos dejar a la persona tras cada cambio.

Las personas encamadas y que presentan inmovilidad total se cambian de posición cada 2-4 h y las que están sentadas, cada 2 h como mínimo.

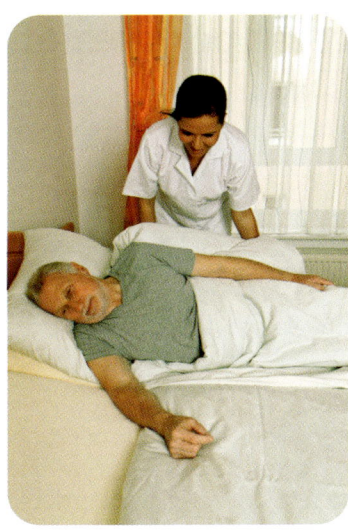

**Fig. 6.4.** Los cambios posturales se deben realizar de forma planificada y con las máximas precauciones.

La postura en que queda una persona tras la movilización debe cumplir unos requisitos, que son:

● Ser lo más anatómica posible, para evitar que se produzcan contracciones.

● Impedir el apoyo de las prominencias óseas sobre superficies duras.

● Impedir el contacto directo de prominencias óseas entre sí.

● Si la persona tiene úlceras, evitar en la medida de lo posible que quede apoyada sobre ellas.

El cumplimiento de estos requisitos se consigue mediante movilizaciones para colocar en la postura corporal prevista. Para mantener la posición, o para proteger especialmente alguna zona, se pueden emplear dispositivos especiales, como los que explicaremos a continuación. Puesto que es un cuidado planificado, debemos anotar en el registro correspondiente los cambios posturales que realicemos.

## >> Utilizar dispositivos especiales

En casos de riesgo elevado o presencia de úlceras se recurre a dispositivos especiales, que se colocan a la persona para ayudar a aliviar la presión y a reducir la fricción sobre zonas con riesgo de sufrir una úlcera.

Protectores para la prevención de UPP

Entre los dispositivos más habituales podemos destacar:

● **Apósitos adhesivos**. Son de aplicación local y eliminan la fricción en la zona, pero no reducen la presión. Si son impermeables, pueden servir además como aislantes de la humedad.

● **Protectores**. Los más habituales se colocan en los pies y tiene una doble función: mantienen la posición y, gracias al material de que están fabricados, alivian la presión. Encontramos botas, taloneras, patucos, etc. También existen coderas y férulas para toda la extremidad, con las mismas funciones.

● **Cojines**. Para evitar que haya contacto entre dos prominencias óseas, por ejemplo, entre ambas rodillas, podemos interponer un cojín antiescaras entre ellas. En este caso debemos prestar atención para que no queden arrugas en la funda y para que, tras su colocación, se mantenga en una posición correcta, no haga aumentar la presión en otras zonas ni pueda provocar contracturas.

● **Superficies especiales para el manejo de la presión** (SEMP). Son superficies de apoyo diseñadas específicamente para el alivio de la presión. En el caso de personas encamadas, estas superficies ocupan toda la cama, pero también hay SEMP para silla de ruedas u otros asientos, en cuyo caso la superficie cubre la zona del asiento.

Se establece una diferenciación básica entre:

● **SEMP estáticas**. Son superficies cuya configuración y composición alivian la presión. Se utilizan en personas con riesgo bajo o medio. Por ejemplo, colchones, cubrecolchones o cojines antiescaras de viscoelástica, fibras especiales o aire.

● **SEMP dinámicas**. Son superficies que, de una u otra forma, generan movimientos que hacen cambiar los puntos de apoyo. Se utilizan en personas con riesgo medio o alto. Por ejemplo, colchones, cubrecolchones o cojines antiescaras de tubos o celdas de aire con un compresor que va variando el llenado de aire en las distintas zonas.

**Tarea 5**
¿Cómo actuar ante una UPP? UPP de grado 1

Cómo detectar y tratar una úlcera por presión

Modelo de registro de la valoración de las úlceras por presión

### 6.3.3. Tratamiento de las úlceras por presión

El tratamiento de las úlceras es un procedimiento de enfermería, pero es interesante que el personal técnico que realiza la higiene de la persona también sepa en qué se basa.

Los objetivos de las curas que se realizan sobre las úlceras son:

● Proteger los tejidos expuestos y estimular la cicatrización.

● Evitar la infección o tratarla, en el caso de que ya se haya producido.

● Tratar el dolor.

Para realizar las curas, el personal de enfermería localiza en primer lugar todas las úlceras y determina en qué fase se encuentra cada una, ya que esto condiciona el tipo de tratamiento que deberá aplicar. Seguidamente comprueba que dispone de todo el *material necesario*, realiza un lavado de manos, se pone unos guantes estériles y procede con las *curas*, aplicando a cada úlcera el tratamiento que corresponda, según la fase en que se encuentre.

#### ≫ Materiales para el tratamiento

Dado el riesgo de infección, todo el material así como los instrumentos deben ser estériles y se debe trabajar con técnica aséptica.

El carro de curas dispone de los materiales básicos que se necesitan para realizar estos tratamientos: guantes estériles, gasas estériles, pinzas estériles, suero fisiológico estéril, apósitos convencionales, etc.

Además, en el tratamiento de las UPP se utilizan distintos productos farmacéuticos específicos, como:

● **Apósitos hidrocoloides**. Están formados por una capa de gel adherida a una película semitransparente que permite ver la lesión. De forma general, estos apósitos se mantienen colocados entre 3 y 7 días.

● **Ácidos grasos hiperoxigenados**. Se suelen presentar en un envase con pulverizador. Mejoran la resistencia de la piel, crean una barrera antimicrobiana y facilitan la cicatrización.

● **Pomadas antisépticas epitelizantes**. Evitan la infección de la herida y favorecen la cicatrización.

● **Cremas barrera**. Forman una película protectora sobre la piel. Se aplican para proteger la piel alrededor de la lesión, para prevenir la aparición de úlceras en casos de incontinencia urinaria o fecal, o ante la presencia de fístulas.

● **Pastas**. En úlceras que están en estado avanzado, se aplican pastas en el cráter que forma la úlcera. Estas pastas tienen actividad antimicrobiana y son estimulantes de la cicatrización.

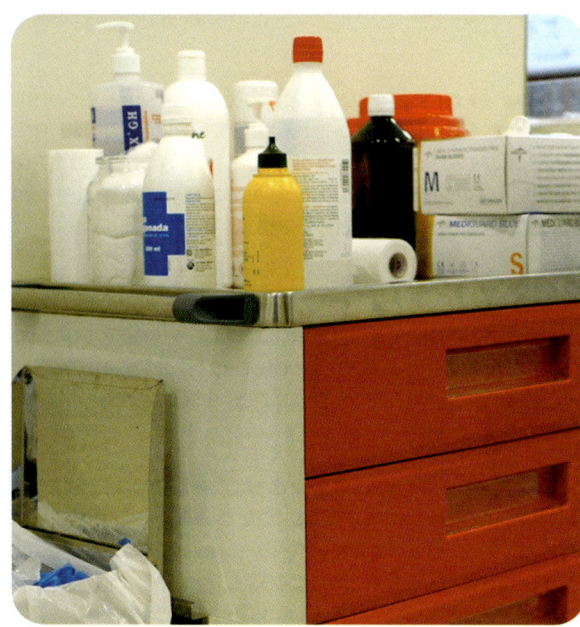

**Fig. 6.5.** Los carros de curas que se utilizan en centros en los cuales hay personas con úlceras por presión disponen de todos los materiales necesarios para realizar los distintos tipos de curas que pueden requerir estas lesiones.

## >> Las curas

Los pasos básicos en las curas de UPP son:

- **Realizar una limpieza**. Si la piel se mantiene íntegra se hace un lavado con agua jabonosa y se seca con una toalla desechable; cuando ha perdido su integridad, se usan gasas estériles mojadas en suero fisiológico estéril para el lavado, y gasas estériles secas para el secado. En ambos casos, el lavado y el secado se realizan mediante toques (nunca por fricción) y desde la zona central hacia la exterior de la lesión.

- **Realizar la desbridación**. Si hay tejidos necróticos en la lesión, se deben retirar; este procedimiento se denomina desbridación. La desbridación puede realizarse mediante tres técnicas:

    - **Quirúrgica**. Se recorta y retira el tejido necrótico desde el centro hacia los bordes.

    - **Enzimática**. Se aplica colagenasa, una enzima que elimina los restos celulares y extracelulares del tejido necrosado.

    - **Autolítica**. Se aplica un apósito hidrocoloide especial, que estimula al propio organismo para que elimine los tejidos necróticos.

- **Aplicar productos de tratamiento y protección**. Según esté establecido en el protocolo del centro se usan unos productos de tratamiento u otros para cada tipo de úlcera. Dentro de los productos de tratamiento, algunos actúan también como protectores, como algunos apósitos hidrocoloides. Otros, en cambio, requieren que se proteja la zona tratada cubriéndola con apósitos convencionales.

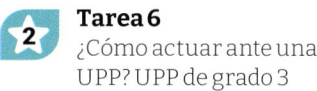

**2** **Tarea 6**
¿Cómo actuar ante una UPP? UPP de grado 3

## Actividades

Audio    Infografía   Mapa de comparación y contraste   Diagrama de flujo

**10.** Una compañera que está realizando las prácticas te pide ayuda para recordar las fases de formación de las UPP. Graba un **audio** con tu teléfono móvil en el que las expliques de forma clara y ordenada.

**11.** Una persona que va en silla de ruedas y su pareja te piden información sobre cómo prevenir las UPP. Para que lo entiendan bien y puedan consultarlo cuando les convenga decides hacer una **infografía** que muestre los aspectos clave en la prevención de las úlceras, y que diferencie entre las tareas que podrá hacer la persona en situación de dependencia y las que serán responsabilidad de su pareja, que es su cuidadora no profesional.

**12.** Elabora un **mapa de comparación y contraste** para determinar las similitudes y las diferencias que hay entre las UPP en fase 1 y en fase 4. Ten en cuenta tanto sus características como los procedimientos para tratarlas.

**13.** Indica en qué zonas tendrán más riesgo de presentar UPP las personas de los siguientes casos. Para cada una, describe las medidas de prevención que se pueden adoptar.

- **a)** Una persona enferma de 68 años, en coma, que está la mayoría del tiempo en decúbito supino y que lleva una sonda nasogástrica.

- **b)** Una persona de 36 años, parapléjica y con una úlcera en la zona sacra, que pasa muchas horas en los decúbitos laterales y que lleva una sonda urinaria.

- **c)** Una persona de 86 años, con el pie izquierdo amputado por complicación de una diabetes, que pasa muchas horas en la silla de ruedas y que debe estar sujeta con cinturón porque si no se resbala.

**14.** Dibuja un **diagrama de flujo** con los pasos que sigue la cura de una UPP en la fase 1.

**15.** Explica en qué consiste el proceso de desbridación de una UPP y cómo se efectúa.

##  6.4. Aseos parciales y aseo completo

Intervenciones básicas de higiene corporal

El plan de cuidados de higiene incluye los aseos que deben realizarse, así como la frecuencia con que corresponde llevar a cabo cada uno de ellos y las precauciones que se deben adoptar, si corresponde.

### 6.4.1. Materiales de aseo y productos de apoyo

Para realizar los aseos se usan *materiales de aseo* y es habitual recurrir a *productos de apoyo*.

#### ›› Materiales de aseo

Muchos de los aseos se pueden realizar usando palanganas con agua jabonosa, esponja y toalla, aunque cada vez es más habitual recurrir a materiales desechables:

- **Esponjas desechables jabonosas**. Son muy sencillas de usar, ya solamente con mojarlas un poco y presionarlas con la mano conseguimos la espuma necesaria para el aseo. Una vez conseguida la espuma, frotamos el cuerpo con la esponja. Además, no es necesario realizar un aclarado, lo cual ahorra tiempo y evita tener que usar forzosamente empapadores o protectores de cama, ya que no se vierte agua.

  Este tipo de esponjas, al ser de un solo uso, reducen el riesgo de contagios cruzados y de infecciones.

- **Esponjas desechables no jabonosas**. No llevan jabón y se usan cuando no es conveniente aplicar ningún producto sobre la piel. Es habitual usarlas para el lavado de la cara.

- **Toallas de secado desechables**. Son pequeñas toallitas de celulosa, suaves y ultraabsorbentes, que permiten un secado completo de forma sencilla. Además, el riesgo de extender infecciones o contaminar lesiones es menor que en el secado con toallas, ya que las vamos desechando tras secar cada zona.

#### ›› Productos de apoyo

Productos de apoyo para la higiene

Algunos ejemplos de productos de apoyo de higiene y aseo son:

- **Sillas de ducha**. Permiten que la persona esté sentada mientras se ducha, lo que le proporciona estabilidad y seguridad.

- **Sillas de ruedas de ducha**. Son sillas de ruedas diseñadas para ser usadas en la ducha.

- **Camillas de lavado**. Son camillas cuya zona de apoyo es de material plástico, con bordes elevados y desagüe. En ellas se puede tumbar a la persona y realizarle un aseo completo, usando la ducha.

- **Barras de sujeción**. Son barras que se instalan en la pared para ayudar a las personas a mantener el equilibrio, ayudarse en ciertos movimientos y prevenir caídas.

- **Alfombrillas antideslizantes**. Son alfombrillas que se colocan en el suelo de la ducha para evitar resbalones y caídas.

**Tarea 2**
Determinar los productos de apoyo para Lucía

**Fig. 6.6.** Lavacabezas de cama.

● **Asientos elevados de inodoro**. Son asientos que elevan el nivel del inodoro, lo que facilita su uso por parte de personas con movilidad reducida.

● **Lavacabezas de cama**. Se usan para realizar el lavado del cabello de una persona encamada.

● **Accesorios para la higiene**. Existe una gran variedad. Podemos destacar los siguientes:

  ● **Accesorios que permiten llegar con más facilidad a ciertas partes del cuerpo**. Son accesorios que disponen de mangos largos. Entre ellos encontramos cepillos y peines adaptados, esponjas de mango largo, calzadores largos, etc.

  ● **Accesorios que facilitan el agarre y la manipulación**. Algunas personas tienen dificultades para sujetar o manipular objetos pequeños. Para que puedan hacerlo, algunos accesorios disponen de mangos gruesos o de una estructura adaptada. Por ejemplo, un cepillo de dientes con mango adaptado, un abotonador o un cortaúñas adaptado.

## 6.4.2. Pautas generales en las actividades de higiene personal

**Tarea 3**
Aprender las pautas generales de la ejecución de actividades de higiene

Cada actividad tiene su propio procedimiento, aunque hay algunos aspectos generales que debemos tener en cuenta en todos ellos:

● Antes de empezar:

  ● Vemos en el plan de cuidados qué tareas debemos realizar y si hay alguna medida o precaución especial que debamos tener en cuenta.

  ● Preparamos todos los materiales que necesitaremos y los llevamos junto a la cama o al baño, donde vayamos a usarlos.

  ● Explicamos el procedimiento a la persona atendida, así como las ventajas que le proporcionará, y pedimos su colaboración. Potenciamos en lo posible su participación, para estimular su autonomía.

  ● Realizamos una higiene de manos y nos ponemos guantes.

  ● Preparamos el espacio: cerramos la puerta o corremos la cortina, elevamos la cama si haremos el aseo con la persona encamada, la ayudamos a levantarse y la acompañamos al baño si es necesario, etc.

● Durante el aseo:

  ● Preservamos la intimidad de la persona, descubriendo su cuerpo por partes y evitando mantenerla descubierta mientras no sea necesario.

  ● Conversamos con la persona, si es posible, mientras realizamos el procedimiento.

  ● Nos cambiamos los guantes tantas veces como sea necesario.

  ● Observamos cuidadosamente la piel y las mucosas para detectar si hay alguna lesión.

  ● Prestamos especial atención al secado para que toda la piel, incluidas las zonas con pliegues, queden bien secas.

  ● Aplicamos las normas ergonómicas para la movilización de personas, a fin de prevenir lesiones.

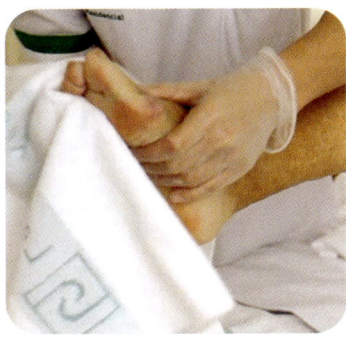

**Fig. 6.7.** Es esencial realizar un secado correcto después de cualquier lavado.

- Al terminar:

  - Dejamos a la persona acomodada y comprobamos que tenga a mano todo lo que necesite, especialmente el timbre de alarma.

  - Si corresponde, verificamos que no se ha producido ninguna desconexión involuntaria o pinzamiento de sondas, catéteres, sueros, etc.

  - Recogemos el material usado y los residuos.

  - Nos quitamos los guantes y hacemos una higiene de manos.

  - Registramos el procedimiento y anotamos cualquier incidencia u observación destacable.

### 6.4.3. Los aseos parciales

Baños parciales. Lavado de manos y uñas

La atención higiénica incluye distintos aseos parciales. Según la frecuencia con que se realizan, se distingue entre *aseos diarios* y *aseos no diarios*.

| Aseos parciales diarios | Son tareas que se realizan diariamente, y menudo en varias ocasiones a lo largo del día. | Lavado de manos<br>Lavado de ojos, nariz o boca<br>Higiene bucodental<br>Higiene perineal |
| --- | --- | --- |
| Aseos parciales no diarios | Son tareas que no es necesario hacer cada día. | Lavado del cabello<br>Corte y cuidado de las uñas |

#### » Lavado de manos

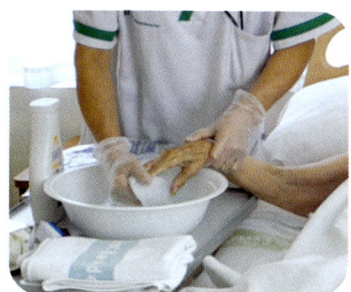

**Fig. 6.8.** Lavado de manos.

El lavado de manos se realiza en diversas ocasiones a lo largo del día. Como mínimo, antes de cada comida y después de ir al lavabo.

Siempre que sea posible, fomentamos que la persona se lave las manos sola, siguiendo los procesos de: mojado, enjabonado, frotado, aclarado y secado. Es muy importante que no queden restos de jabón ni de humedad en las manos. Si la persona no puede levantarse, nos ponemos guantes y hacemos el lavado con una esponja jabonosa desechable. Para el secado usamos paños desechables o la toalla de la persona.

#### » Lavado de ojos, nariz o boca

El lavado se puede hacer, de forma general, con una esponja desechable no jabonosa, aunque en algunos casos es necesario usar gasas impregnadas en suero fisiológico.

El lavado de los ojos se hace desde la cuenca interna hacia la externa, para no obstruir la glándula lacrimal.

#### » Higiene bucodental

La higiene bucodental se debe realizar, al menos, después de cada comida. Si la persona lleva prótesis dental extraíble, es necesario retirarla para realizar la limpieza bucal.

Si la persona puede lavarse los dientes por sí misma, tras la comida la acompañamos al baño y comprobamos que tiene todo lo necesario. Cuando haya acabado, la acompañamos a la cama o sillón y la dejamos debidamente acomodada.

**Tarea 4**
Ofrecer apoyo en los aseos parciales de Lucía

**Documento 6.2.**
### Lavado de prótesis dentales extraíbles

1. Lavar la prótesis utilizando un cepillo adecuado.
2. Desinfectar la prótesis, sumergiéndola durante 10-15 minutos en una solución de clorhexidina acuosa o hexetidina.
3. Aclarar bien con agua.

En otras ocasiones es necesario ayudar a la persona. El procedimiento que aplicamos depende de si la persona es capaz de enjuagarse la boca (Proc. 6.1) o si no puede hacerlo (Proc. 6.2).

---

Procedimiento 6.1.
## Higiene bucodental a una persona encamada con capacidad para enjuagarse la boca

Higiene bucodental a una persona encamada con capacidad para enjuagarse la boca

**Materiales**
- Vaso con agua
- Dentífrico
- Cepillo dental
- Batea
- Toalla

**Posición del paciente**
- Posición de Fowler

**Pasos que seguir**

**Preparativos**: higiene de manos y colocación de guantes, preparación de los materiales, del espacio y de la persona.

**Procedimiento**
1. Coloca la toalla sobre el pecho de la persona, ajustada a su cuello.
2. Humedece el cepillo y ponle un poco de dentífrico.
3. Para el cepillado:
   - Si la persona puede hacerlo sola: ofrécele el cepillo.
   - Si no puede, cepilla toda la dentadura desde la encía hacia la corona, tanto en la cara interna como en la externa. Después, cepilla la lengua.
4. Ofrécele el vaso de agua para que se enjuague y coloca la batea de forma que pueda escupir el agua en ella.
5. Sécale la boca u ofrécele la toalla para que lo haga ella misma.

**Pasos finales**: acomodación, retirada del material y registro.

---

Procedimiento 6.2.
## Higiene bucodental a una persona encamada sin capacidad para enjuagarse la boca

Higiene bucodental a una persona encamada sin capacidad para enjuagarse la boca

**Materiales**
- Solución antiséptica bucal en un vaso
- Gasas, pinzas, toalla
- Vaselina u otro producto hidratante
- Recipiente o bolsa para dejar las gasas usadas

**Posición del paciente**
- Si es posible, posición de semi-Fowler o Fowler. Si no, la posición en que permanezca el paciente

**Pasos que seguir**

**Preparativos**: higiene de manos y colocación de guantes, preparación de los materiales, del espacio y de la persona.

**Procedimiento**
1. Inclina la cabeza de la persona hacia un lado.
2. Toma una gasa plegada con las pinzas y mójala con solución antiséptica.
3. Procede a la limpieza de dientes y boca, frotando con la gasa. Cambia la gasa cuando sea necesario y nunca vuelvas a sumergir en el antiséptico una gasa ya usada. Para los dientes puedes usar un cepillo dental suave humedecido en solución antiséptica.
4. Seca los labios y la zona peribucal con la toalla.
5. Aplica vaselina u otro producto hidratante.

**Pasos finales**: acomodación, retirada del material y registro.

## >> Higiene perineal

La higiene perineal incluye el lavado de los genitales externos, el perineo y la zona anal. Se realiza durante el aseo diario, pero en ocasiones es necesario repetirlo a lo largo del día, especialmente en personas con incontinencia que llevan absorbentes o pañales.

Si la persona es capaz de realizar el aseo por sí misma, preparamos el material necesario, le damos las instrucciones oportunas y le vamos proporcionando el material que necesite en cada momento.

En los casos en que la persona no puede hacer el aseo por sí misma, lo llevamos a cabo aplicando el procedimiento establecido. Debido a las diferencias anatómicas, el procedimiento es diferente en los hombres (Proc. 6.3) que en las mujeres (Proc. 6.4), aunque en ambos casos las tareas preparatorias son las mismas:

1. Preparar el material y llevarlo junto a la cama.
2. Cerrar la puerta o correr la cortina para preservar la intimidad.
3. Informar a la persona y solicitar su colaboración.
4. Realizar una higiene de manos y ponerse guantes.
5. Retirar la colcha, soltar la sábana encimera y replegarla hacia arriba hasta descubrir la zona perineal.
6. Retirar la ropa de la mitad inferior del cuerpo y colocar a la persona en posición ginecológica.

---

Procedimiento 6.3.
### Higiene perineal en hombres

Lavado genital
masculino

**Materiales**

- Dos palanganas con agua templada, una con jabón neutro y la otra sin jabón
- Paños de celulosa
- Cuña
- Jarra para verter agua
- Empapador
- Toallas desechables

**Posición del paciente**

- Posición de litotomía o ginecológica

**Pasos que seguir**

**Preparativos**: higiene de manos y colocación de guantes, preparación de los materiales, del espacio y de la persona.

**Procedimiento**

1. Coloca un empapador, elevando un poco la pelvis para pasarlo por debajo.
2. Lava toda la zona, usando esponjas jabonosas desechables. Retira el prepucio para garantizar un lavado minucioso de glande y surco balanoprepucial
   - Haz el lavado de arriba hacia abajo sin retroceder en ningún momento para evitar arrastrar microorganismos de la zona anal hacia la genital.
   - Cambia de esponja las veces que consideres necesario.
3. Aclara bien toda la zona. Para hacerlo, coloca la cuña debajo de la zona perineal y vierte agua con la jarra. Al terminar, retira la cuña.
4. Seca minuciosamente, también de arriba hacia abajo y sin retroceder. Coloca el prepucio, para evitar edema de glande o parafimosis.
5. Si así está establecido en el plan de cuidados, aplica crema de protección.
6. Retira el protector de cama y arregla las sábanas y la colcha.

**Pasos finales**: acomodación, retirada del material y registro.

Procedimiento 6.4.
## Higiene perineal en mujeres

Lavado genital femenino

### Materiales

- Palangana con agua tibia
- Esponjas desechables jabonosas
- Empapador
- Toallas desechables
- Cuña
- Jarra para verter agua
- Bolsa para dejar las esponjas y toallas desechables usadas

### Posición del paciente

- Posición ginecológica

### Pasos que seguir

**Preparativos**: higiene de manos y colocación de guantes, preparación de los materiales, del espacio y de la persona.

**Procedimiento**

1. Coloca un empapador, elevando un poco la pelvis para pasarlo por debajo.
2. Lava toda la zona, usando esponjas jabonosas desechables y poniendo atención en limpiar cuidadosamente los labios y el meato urinario.
   - Haz el lavado de arriba hacia abajo sin retroceder en ningún momento para evitar arrastrar microorganismos de la zona anal hacia la genital.
   - Cambia de esponja las veces que consideres necesario.
3. Aclara bien toda la zona. Para hacerlo, coloca la cuña debajo de la zona perineal y vierte agua con la jarra. Al terminar, retira la cuña.
4. Seca minuciosamente, también de arriba hacia abajo y sin retroceder.
5. Si así está establecido en el plan de cuidados, aplica crema de protección.
6. Retira el protector de cama y arregla las sábanas y la colcha.

**Pasos finales**: acomodación, retirada del material y registro.

## >> Lavado del cabello

En el aseo diario se realiza un peinado o cepillado del cabello. Además, al menos una vez a la semana se realiza un lavado del cabello que, si la persona no puede levantarse, se hace en la cama. (PROC. 6.5)

Procedimiento 6.5.
## Lavado de cabello en la cama

Higiene. Lavado del pelo en la cama

### Materiales

- Empapador
- Lavacabezas y el sistema de recogida de agua que le corresponda (cubeta, bolsa de recogida, etc.)
- Jarra
- Recipiente con agua a 38-40 ºC
- Champú, toalla, peine o cepillo, secador

### Posición del paciente

- Posición de decúbito supino o de Roser

### Pasos que seguir

**Preparativos**: higiene de manos y colocación de guantes, preparación de los materiales, del espacio y de la persona.

**Procedimiento**

1. Con la persona en decúbito supino, levantadla por la zona de los hombros, poned la almohada a la altura de sus hombros y colocad un empapador y el lavacabezas.
2. Con la jarra, verted agua sobre el cabello.
3. Aplicad champú y friccionad suavemente el cuero cabelludo y el pelo con las yemas de los dedos.
4. Enjuagad con la jarra.
5. Escurrid el cabello, retirad el lavacabezas y colocad un empapador bajo la cabeza. Secad el cabello con una toalla.
6. Retirad el empapador y colocad la almohada, junto con el otro empapador, en su lugar.
7. Secad con aire caliente hasta que el cabello esté bien seco y peinadlo.
8. Retirad el empapador y comprobad que la lencería de la cama y la ropa no están mojados. Si lo están, hay que cambiarlos.

**Pasos finales**: acomodación, retirada del material y registro.

## ❯❯ Corte y cuidado de las uñas

El cuidado de las uñas es un aspecto importante de la higiene personal. Deben revisarse periódicamente al realizar la higiene general, tanto las de las manos como las de los pies. Las uñas de las manos se cortan generalmente cada semana, mientras que las de los pies se cortan cada más tiempo, ya que crecen menos. Para hacerlo se usan tijeras o alicates cortaúñas, siguiendo el PROCEDIMIENTO 6.6.

### ¡Tenlo en cuenta!

Las tijeras o alicates cortaúñas que usemos deben estar desinfectados y en perfecto estado. Es importante prestar atención al manejarlos para evitar cortes y lesiones.

---

Procedimiento 6.6.
### Corte de las uñas

Corte de las uñas de las manos en personas encamadas

### Materiales

- Palangana con agua caliente jabonosa
- Batea
- Protector de cama
- Tijera o alicates cortaúñas
- Lima de uñas
- Cepillo de uñas
- Toalla
- Crema hidratante

### Posición del paciente

- Indiferente, pero si está consciente, es preferible la posición de Fowler

### Pasos que seguir

**Preparativos**: higiene de manos y colocación de guantes, preparación de los materiales, del espacio y de la persona.

**Procedimiento**

1. Disponer un protector de cama y una batea con agua caliente jabonosa junto a una mano o pie de la persona.
2. Poner la mano o el pie en remojo durante unos minutos, para que el agua reblandezca las uñas y las cutículas.
3. Si es necesario, utilizar un cepillo de uñas para limpiar las uñas.
4. Retirar la mano o el pie del agua, pasar el protector y la batea al lado opuesto y sumergir la otra mano o pie.
5. Secar bien la mano o pie mojados, poniendo atención en los espacios interdigitales.
6. Cortar las uñas de la primera mano o pie:
   - Uñas de la mano: cortarlas en forma redondeada, sin excavar las esquinas, para evitar que crezcan hacia dentro.
   - Uñas del pie: cortarlas en línea recta y dejando los bordes lisos.
7. Si es necesario, limar las uñas para que queden uniformes.
8. Repetir el proceso con la otra mano o pie.
9. Aplicar crema hidratante en ambas manos o pies, con un ligero masaje.

**Pasos finales**: acomodación, retirada del material y registro.

---

En el cuidado de los pies debemos prestar especial atención en observar posibles lesiones: uñas encarnadas, pequeñas heridas, durezas, grietas o rojeces. En el caso de personas que no tienen sensibilidad en los pies o en personas con diabetes, es posible que tengan lesiones y no sean conscientes de ello, lo que puede agravarlas y causar que se infecten.

### ¡Tenlo en cuenta!

En las personas con diabetes *mellitus* o ciertos trastornos circulatorios, se recomienda que el cuidado de las uñas de los pies lo realice un podólogo o una podóloga, para reducir el riesgo de lesionar la piel o la cutícula alrededor de la uña.

### 6.4.4. El aseo completo

Si la persona puede levantarse, la ducha (con ayuda o sin ella) es la mejor opción. Cuando esto no es posible, se realiza un aseo completo en la cama.

Para realizar un aseo completo la temperatura ambiental adecuada está entre 20 y 25 °C y se deben evitar las corrientes de aire. El agua que se utilice debe estar entre 37 y 40 °C.

**Tarea 5**
Asistir a Lucía en el aseo completo

Cuando la persona lleva bolsas, catéteres u otros productos sanitarios es importante tener en cuenta que estos no se pueden mojar. Para retirar la ropa será necesario hacer pasar el tubo y la bolsa por la manga o la pernera correspondiente, prestando mucha atención para evitar desconexiones o pinzamientos. El plan de cuidados indicará cómo proceder en cada caso o si es necesario avisar al personal de enfermería.

**¡Tenlo en cuenta!**

En cualquier lavado debemos buscar la colaboración de la persona, aunque sea mínima, para fomentar su autonomía en la medida de sus capacidades. Por ejemplo, si una persona tiene dificultades para mantenerse en pie, pero no tiene otros problemas, será preferible proporcionarle un asiento de ducha y que se duche sentada, que hacer un aseo en la cama.

### » Aseo en la ducha

Para realizar el aseo completo en la ducha, la persona se debe desnudar. Esto puede generar incomodidad y vergüenza, por lo que deberá realizarse con el máximo respeto y preservando la intimidad con todas las medidas al alcance, como son:

- Debemos generar un ambiente relajado y de privacidad, dando las explicaciones necesarias y adoptando conductas asertivas.

- Si es posible, le indicamos que se desnude en el baño con la puerta ajustada (nunca cerrada con pestillo). Si no hay espacio o la ayuda que requiere no permite hacerlo ahí, la ayudamos a desnudarse en la habitación con la puerta cerrada y le ponemos o le ofrecemos una bata o un albornoz para ir hasta el baño.

- Antes de desnudarla o de que se desnude debemos preparar todo el material y la ropa necesarios, de forma que una vez que esté desnuda pueda ducharse enseguida.

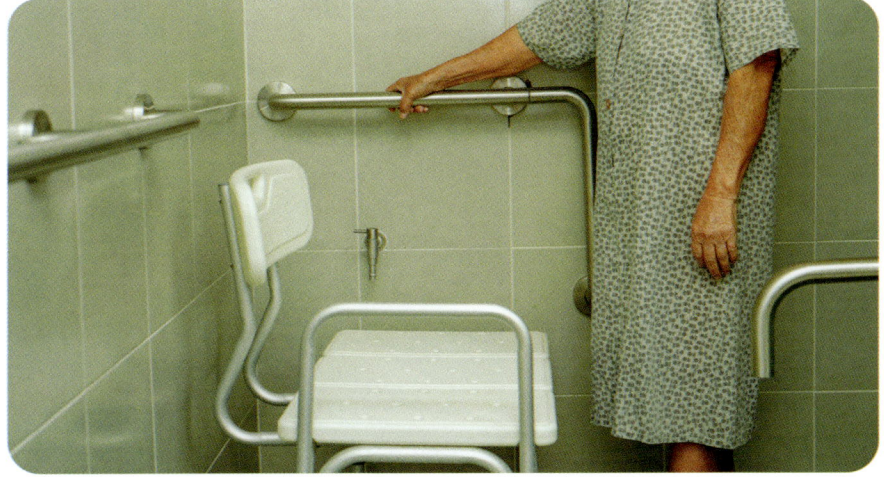

**Fig. 6.9.** La disponibilidad de productos de apoyo puede suponer la diferencia entre que la persona pueda ducharse sola con un poco de ayuda o que necesite ayuda durante todo el proceso.

- Como en todas las actividades, la ayudamos con las piezas con que lo necesite, le quitamos las que no pueda quitarse y dejamos que se retire ella misma las que sea capaz de quitarse.

Para la ducha es más seguro que la persona utilice una silla de ducha, aunque si se mantiene bien en pie y tiene suficiente equilibrio puede ducharse de pie usando las barras de sujeción. Si lo requiere, la ayudamos a entrar en la ducha y sentarse de forma segura. Seguidamente:

- Si puede ducharse sola, la dejamos para que lo haga y mientras tanto cambiamos la ropa de cama. Es importante recordarle que:

  - Nos avise si en algún momento necesita ayuda.

  - Haga uso de las barras de sujeción.

  - Limpie bien todo su cuerpo y, especialmente, que haga un secado muy minucioso.

- Si necesita ayuda, hacemos el lavado y secado de las zonas a las que no pueda llegar y la ayudamos a vestirse.

Una vez que la persona esté duchada, vestida y acomodada, retiramos la ropa sucia. En el caso de los centros residenciales, la depositamos en el carro de la ropa sucia.

## >> Aseo completo en la cama

El aseo completo se lleva a cabo cuando el estado de la persona no le permite levantarse. Incluso así, es importante procurar que colabore en la medida de sus capacidades.

En este caso debemos desnudar a la persona en la cama. Para hacerlo:

1. Retiramos la colcha y soltamos la sábana encimera.

2. Subimos la sábana hasta la cintura, retiramos la ropa de la mitad inferior del cuerpo e inmediatamente volvemos a bajar la sábana.

3. Bajamos la sábana hasta la cintura, retiramos la ropa de la mitad superior del cuerpo e inmediatamente volvemos a subir la sábana, hasta la altura de las axilas.

Seguidamente, y sin retirar la sábana, podemos proceder al aseo, teniendo en cuenta que debemos hacerlo:

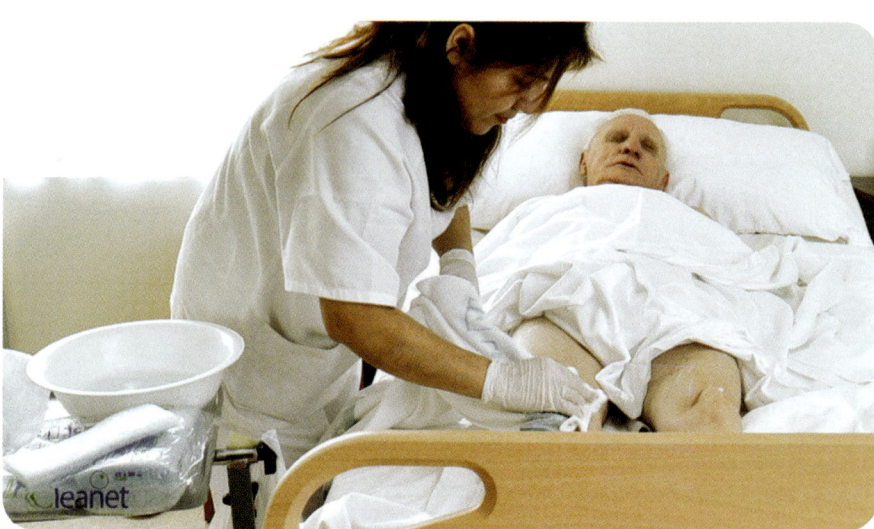

**Fig. 6.10.** Durante el aseo completo en cama solo se debe mantener descubierta la zona que se está aseando.

- Por zonas, dejando descubierta en cada momento solo la zona del cuerpo que estamos aseando.

- Siguiendo un orden establecido. Cada centro establece el orden que debe seguirse. Nuestra propuesta sigue estos pasos: (Proc. 6.7)

  1. Cara, orejas y cuello.
  2. Extremidades superiores.
  3. Tórax y abdomen.
  4. Extremidades inferiores.
  5. Espalda.
  6. Zona perineal.

- Cambiando las esponjas y toallas desechables las veces que sea necesario; al menos, con cada cambio de zona.

- Dentro de cada zona, siguiendo un orden desde las zonas más limpias a las menos limpias.

- Siendo especialmente cuidadosos, tanto en el lavado como en el secado, con los pliegues de la piel.

## ¡Tenlo en cuenta!

Fomentad que la persona participe en su baño. Si puede realizar alguna tarea por sí misma o colaborar en el procedimiento con movimientos o movilizaciones, incentivadla a hacerlo, pues os facilitará la tarea y contribuirá a mantener su autonomía y elevar su autoestima. Por ejemplo, si puede limpiarse por sí misma la zona genital se sentirá mejor que si se lo hace otra persona.

---

Procedimiento 6.7.
### Aseo completo en cama

Aseo completo en cama

### Materiales

- Palangana con agua templada.
- Esponjas desechables jabonosas
- Esponjas desechables no jabonosas
- Toallas desechables
- Empapadores
- Cuña
- Jarra para verter agua
- Peine o cepillo
- Bolsa para dejar las esponjas y toallas desechables usadas
- Ropa limpia para el paciente y para la cama

### Posición del paciente

- Decúbito supino, con diferentes movilizaciones

### Pasos que seguir

**Preparativos**: higiene de manos y colocación de guantes, preparación de los materiales, del espacio y de la persona.

**Procedimiento**: aseo por zonas, dejando descubierta en cada momento solo la zona que se está aseando.

1. **Cara, orejas y cuello**: limpiar con una esponja desechable no jabonosa y secar.

2. **Extremidades superiores**: limpiar con una esponja desechable jabonosa y secar siguiendo este orden: brazo, antebrazo, mano, axila. Prestar especial atención a las axilas, ya que se irritan fácilmente: secarlas bien y no aplicar polvos ni cosméticos.

3. **Tórax y abdomen**: realizar la limpieza y secado empezando por la zona superior y bajando hasta la parte inferior. Prestar especial atención al ombligo y a los pliegues mamarios.

4. **Extremidades inferiores**: realizar el lavado y secado de cada pierna, bajando desde la zona superior hasta el pie. Secar muy bien los espacios interdigitales y observar si es necesario cortar las uñas o si hay uñas encarnadas.

5. **Espalda y nalgas**. Colocar a la persona en decúbito lateral y realiza el lavado y secado, desde la zona superior hacia la inferior.

   Se puede aprovechar para el lavado de la zona anal. Si es el caso, desechar las esponjas y paños y cambiarse los guantes antes de proseguir.

6. **Zona perineal**. Volver a colocar a la persona en decúbito supino, ponerla en posición ginecológica y realizar la higiene perineal, según las pautas explicadas anteriormente.

Procedimiento 6.7 (cont.).
## Aseo completo en cama

### Pasos finales

- Vestir a la persona, apartando la sábana a medida que la persona vaya quedando vestida.
- Si corresponde, cambiar la ropa de cama, aplicando el procedimiento para hacer la cama abierta ocupada.
- Acomodación, retirada del material y registro.

## Actividades

 Presentación informática  Infografía

**16.** Busca en la base de datos de la página web del Ceapat, dentro del catálogo de productos de apoyo, tres productos que puedan ser útiles para la higiene personal de:

**a)** Un hombre joven que tiene paraplejia. Tiene fuerza y toda la movilidad en las extremidades superiores.

**b)** Una mujer de edad avanzada con artrosis que le dificulta sujetar objetos pequeños y le impide levantar los brazos más allá de la altura de sus orejas.

**c)** Un hombre de edad avanzada, con movilidad muy limitada y demencia, que permanece encamado y en estado letárgico.

**17.** Prepara una **presentación informática** en la que hagas constar todos los materiales necesarios para llevar a cabo una higiene bucodental en personas encamadas con capacidad para enjuagarse la boca y en personas encamadas sin capacidad para enjuagarse la boca. Para cada material, incluye una fotografía y una breve descripción.

**18.** En parejas, practicad los procedimientos siguientes en el taller usando un maniquí. Debéis realizarlos imaginando que se trata de una persona real.

- Lavado de las manos.
- Lavado de ojos, nariz y boca.
- Lavado del pelo con la persona encamada.
- Aseo completo en la cama.

Después, contestad conjuntamente las preguntas siguientes:

**a)** ¿Habéis seguido cada procedimiento en el orden propuesto o en algún caso habéis tenido dudas?

**b)** ¿En qué procedimientos o pasos consideráis que necesitáis mejorar?

**c)** Si el maniquí fuera un paciente real, ¿habríais respetado su intimidad en todo momento?

**d)** ¿Qué deberéis tener especialmente en cuenta cuando apliquéis cada uno de estos procedimientos a una persona real?

**e)** ¿Cómo valoráis la comunicación entre la pareja durante el aseo completo en cama?

**f)** ¿Qué fue lo más difícil de hacer durante la actividad?

**19.** Estás trabajando en un centro residencial como técnico en atención a personas en situación de dependencia (TAPSD) y una alumna en prácticas necesita aprender a realizar el aseo en la ducha.

En parejas, realizad un *role playing*, durante el cual expliquéis los pasos que seguir y los aspectos que tener en cuenta durante el aseo en la ducha. Después, invertid los roles.

**20.** Elabora una **infografía** que ilustre el orden que hay que seguir en el aseo de las diferentes partes del cuerpo de una persona encamada.

# 6.5. Técnicas de vestido y calzado

Vestir la ropa adecuada y llevarla limpia y planchada ayuda a sentirse bien y mantener la autoestima. Por eso debemos motivar a la persona para que cuide su imagen y ayudarla en lo que necesite.

**Fig. 6.11.** Cada persona debe usar ropa que le guste, que le resulte cómoda y, en la medida de lo posible, que le sea sencilla de poner y quitar.

## 6.5.1. La ropa y el calzado

Las personas con un cierto grado de dependencia deberían elegir una ropa y un calzado cómodos, fáciles de poner y de quitar.

- Son preferibles las prendas amplias y elásticas, que no requieran movimientos amplios de los brazos y que faciliten el vestido.

- Los cierres deben ser simples. Es preferible sustituir los botones y las cremalleras por velcros, cinturillas elásticas, lazos, etc.

- Los tejidos deben ser agradables y que no se arruguen demasiado.

- El calzado debe tener una suela de goma antideslizante y ser fácil de poner. Los cierres elásticos o el velcro evitan tener que hacer y deshacer lazadas.

**¡Tenlo en cuenta!**

Es importante que la persona pueda escoger su ropa. Si tiene dificultades para hacerlo, limitar la cantidad de vestidos disponibles en el armario o dejarle preparada la ropa en el orden en que debe ponérsela son buenas soluciones.

## 6.5.2. Ayudas en el proceso de vestido

Según cuáles sean las necesidades de cada persona, el procedimiento se adaptará y se le proporcionarán los productos de apoyo que la ayuden a realizar estas actividades de la manera más autónoma posible. En las personas encamadas, se aprovecha el aseo diario para cambiar la ropa de la persona.

### ❯❯ Productos de apoyo

Hay una gran variedad de productos de apoyo para el vestido y el calzado. Algunos de los más habituales son los siguientes:

- **Calzador de mango largo**. Facilitan el ponerse los zapatos sin necesidad de agacharse.

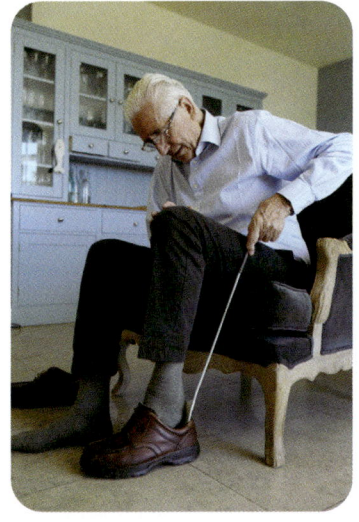

**Fig. 6.12.** Calzador de mango largo.

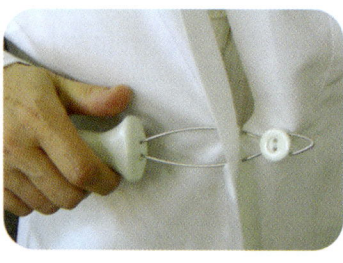

**Fig. 6.13.** Abrochabotones.

- **Calzador de medias**. Sirve para ponerse y subirse las medias cuando se tienen dificultades para flexionar el tronco y las extremidades inferiores.

- **Abrochabotones**. Es un dispositivo con mango anatómico que permite abrocharse los botones con una sola mano.

- **Subecremalleras**. Es un accesorio que se fija al orificio de cierre de la cremallera y que proporciona una superficie mayor para facilitar el tirado.

- **Gancho de ayuda al vestido**. Es una especie de pinza con un mango largo, que se maneja desde una empuñadura. Sirve para acercarse la prenda, por ejemplo, la manga y pasar el brazo con menos esfuerzo.

## ›› El vestido diario

En cada caso debemos proporcionar la ayuda que la persona necesite, que puede ir desde ayudarla a escoger la ropa (a combinarla, o darle unas pautas según lo que vaya a hacer ese día o el tiempo que haga) hasta ayudarla a ponérsela o a abrocharla, o incluso ocuparnos de todo, según cada situación.

Si vamos a vestir a la persona es conveniente:

- Preparar la ropa y disponer las prendas en el orden en que se van a poner.

- Parte inferior del cuerpo: la ropa se puede colocar con la persona tumbada. Será necesario elevar un poco su pelvis para acomodarla en la zona superior.

- Parte superior del cuerpo: es preferible colocar la ropa con la persona sentada, ya que de esta forma los movimientos de los brazos serán mucho más fáciles y más cómodos para ella.

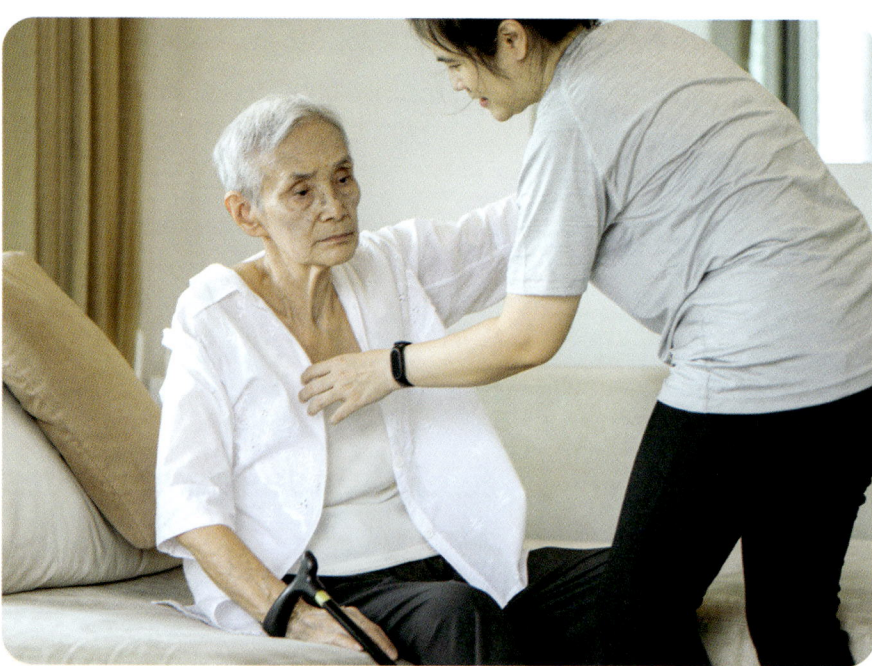

**Fig. 6.14.** Para colocar la ropa de la zona superior del cuerpo es preferible que la persona esté sentada.

Si la persona no se puede mantener sentada será necesario ponerle también la ropa de la zona superior en la cama. En este caso es necesario hacer lateralizaciones: se la coloca en decúbito lateral y se retira la ropa sucia y se coloca la limpia del lado que queda en la zona superior. Seguidamente se la voltea al otro decúbito lateral y se hace lo mismo en el otro lado.

## Actividades

**21.** Vas a atender a una chica que tiene una parálisis de las extremidades inferiores y va en silla de ruedas. Anota las recomendaciones que le harías en relación con su ropa, justificando cada una de ellas.

**22.** En grupos de tres, simulad las situaciones siguientes:

**a)** Poner una bata a una persona que está sentada y tiene poca movilidad en los brazos.

**b)** Poner unos pantalones de pijama a una persona que está tumbada en la cama y no tiene ninguna movilidad en sus extremidades inferiores.

**c)** Poner las zapatillas a una persona mayor que está sentada en la cama, a punto para levantarse.

**d)** Poner una camiseta a una persona que está tumbada en la cama y que no tiene ninguna capacidad para colaborar.

**RETO 6.1**
**Atención a los cuidados**
**de higiene de Lucía**

**Tarea Final:** Preparación de un documento de referencia para la formación de Carlos respecto a los cuidados de Lucía.

**RETO 6.2**
**Campaña de concienciación para la**
**prevención y tratamiento de las UPP**

**Tarea Final:** Preparación y organización de un webinar que ofrezca información detallada sobre la prevención y el tratamiento de las UPP.

## ¿Qué sabes ahora de...?

Reflexiona y valora tus conocimientos respecto a cada una de las siguientes cuestiones:

- ¿Sabes qué son las úlceras por presión?
- ¿Sabes qué productos de apoyo pueden facilitar la ejecución de los procedimientos de higiene corporal?
- ¿Sabes cómo se realiza la higiene bucodental a una persona que no puede enjuagarse la boca?
- ¿Sabes en qué orden se deben lavar y secar las distintas partes del cuerpo en un aseo completo de una persona encamada?
- ¿Sabes cómo vestir a una persona encamada?

 Ni idea

 Me suena

 Lo conozco

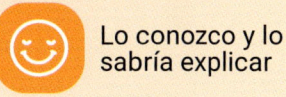 Lo conozco y lo sabría explicar

# 7 Atenciones higiénicas especiales

## ¿Qué sabes de...?

- ¿Sabes cómo ayudar a una persona encamada a orinar y defecar?
- ¿Sabes para qué sirven las bolsas colectoras?
- ¿Sabes qué es un estoma?
- ¿Sabes cómo recoger una muestra de orina de una persona encamada?
- ¿Sabes qué cuidados debes prestar al cuerpo tras la muerte de una persona?

 **RETO 1**
La higiene de una
sonda vesical

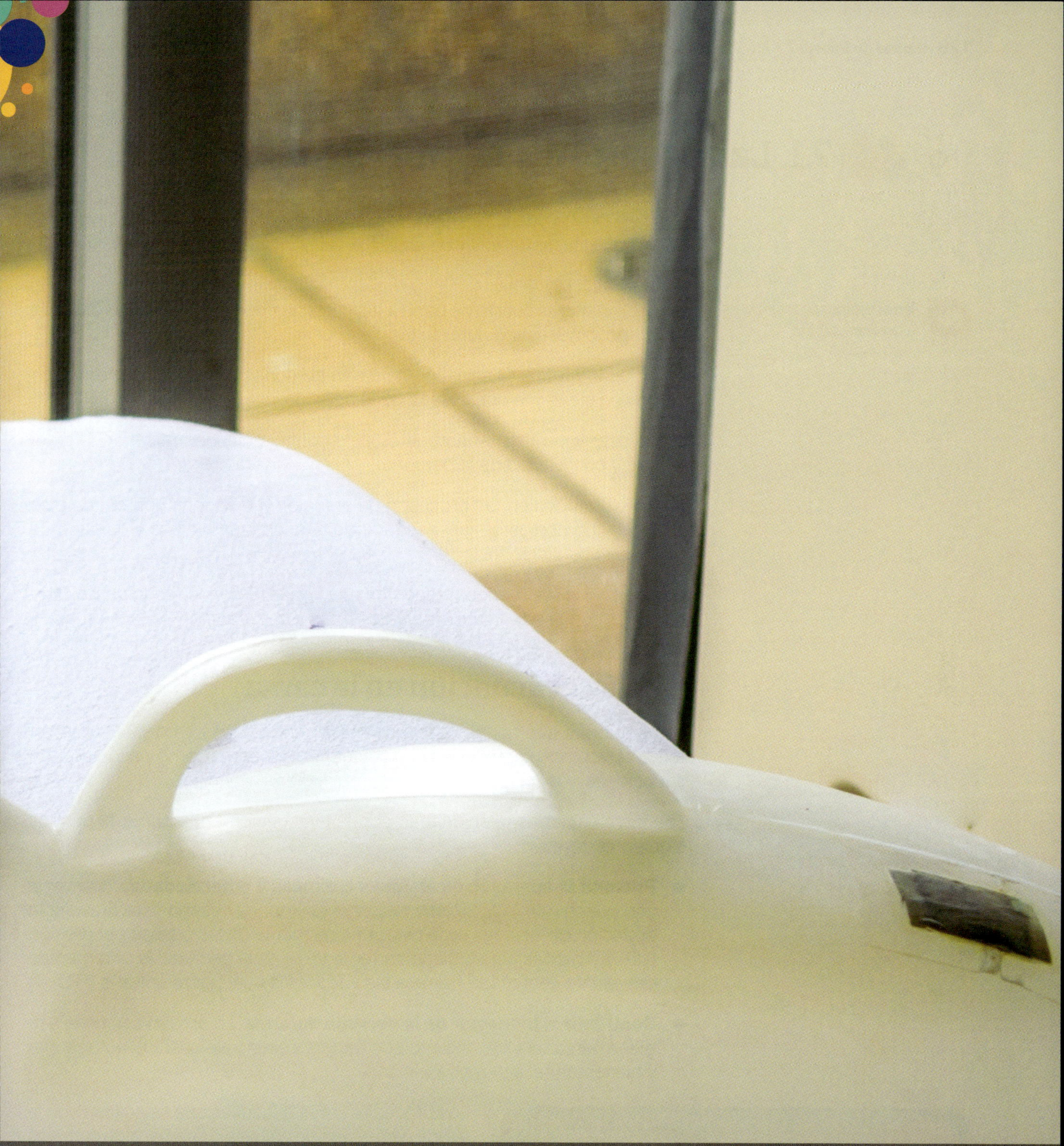

1. **La recogida de eliminaciones**

2. **Las muestras biológicas**

# Atenciones higiénicas especiales

3. **La muerte y los cuidados** *post mortem*

# 7.1. La recogida de eliminaciones

La atención y ayuda a personas con problemas en la excreción es una parte importante de las tareas que realiza el personal técnico en APSD. Las principales son las siguientes:

Intervenciones relativas a la eliminación

● Acompañar al cuarto de baño a las personas que lo requieran, brindando el apoyo necesario durante todo el proceso.

● Colocar y retirar el orinal de cama en personas encamadas, manteniendo la higiene y la comodidad de la persona.

● Colocar y cambiar absorbentes de incontinencia, garantizando la dignidad y comodidad de la persona.

● Prestar apoyo en los procesos de atención a personas con sondaje vesical y con colostomías, asegurando la adecuada higiene y cuidado de los dispositivos.

Otras actividades menos frecuentes relacionadas con la recogida de eliminaciones son la administración de enemas y la extracción de fecalomas.

## 7.1.1. La evacuación en la cama

Las personas que tienen que permanecer encamadas y no pueden levantarse se ven obligadas a orinar y defecar en la cama. Como es lógico, son situaciones que obligan a extremar las medidas higiénicas.

Las intervenciones relacionadas con la evacuación en la cama tienen los siguientes objetivos:

● **Prevenir la aparición de lesiones cutáneas y enfermedades**. Mantener una buena rutina de higiene personal es importantísimo para prevenir la aparición de lesiones en la piel, principalmente de las úlceras por presión (UPP). Además, una higiene correcta de la zona perineal es una medida preventiva destacada frente a las infecciones del tracto urinario (ITU).

● **Contribuir al bienestar de la persona enferma**. La preservación de la higiene personal y del entorno son factores esenciales para la autoestima y bienestar de la persona usuaria.

Los procedimientos generales que se aplican son la *ayuda para el uso de orinales de cama* y los *cambios de absorbentes de incontinencia*. Todos ellos se iniciarán con unos pasos preparatorios comunes:

● Preparar el material y llevarlo a la habitación.

● Realizar una higiene de manos y colocarse unos guantes. Si es necesario, ponerse doble guante.

● Dar explicaciones sobre la realización del procedimiento y solicitar el consentimiento y la colaboración.

● Colocar la cama a la altura que permita trabajar con mayor comodidad.

**Fig. 7.1.** Es importante mostrar empatía y explicar a la persona cómo se va a desarrollar el procedimiento.

**Fig. 7.2.** Cuña (a) y orinal de botella (b).

## ≫ Ayuda para el uso de orinales de cama

Las personas que no pueden levantarse de la cama necesitan usar un orinal. Existen dos modelos de orinales:

● **Cuñas**. Son orinales planos con poca altura y una forma adecuada para ajustarse al cuerpo. Se utilizan para las mujeres y para la defecación también en los hombres.

● **Botellas**. Se usan para la micción masculina. Tienen una embocadura por la que se introduce el pene, lo que evita salpicaduras o vertidos de orina.

La ayuda que se debe prestar, como en todas las situaciones, hay que ajustarla a las capacidades y necesidades concretas de la persona, contando con que, siempre que se pueda, se debe fomentar su autonomía. (PROC. 7.1)

---

Procedimiento 7.1.
**Ayuda a la evacuación en cama**

Colocación y retirada del orinal de botella      Colocación y retirada del orinal plano

### Materiales

● Cuña u orinal de botella

● Empapador

● Guantes desechables

● Papel higiénico o toallitas húmedas

● Recipiente con agua jabonosa

● Toalla

● Bolsa para residuos

### Pasos que seguir

**Preparativos**: higiene de manos y colocación de guantes, preparación de los materiales, del espacio y de la persona.

**Procedimiento**

1. Suelta la zona inferior de la colcha y la sábana encimera y descubre la zona perineal. Coloca un empapador.

2. Coloca el orinal:

   ● **Cuña**. Según la capacidad de colaboración de la persona:

     — Ayúdala a levantar un poco la pelvis y coloca la cuña.

     — Gírala a decúbito lateral para colocar la cuña.

   ● **Botella**. Ofrécele la botella. Si no puede colocarla, introduce su pene en ella y déjala entre sus piernas.

3. Cubre a la persona con la sábana y pídele que te avise cuando acabe.

4. Retira la cuña (con las movilizaciones necesarias) o la botella y, dejando a la persona cubierta, llévala al espacio destinado a su limpieza. Observa el volumen, color, consistencia... si observas alteraciones, advierte al personal de enfermería.

5. Vuelve junto a la persona. Si puede limpiarse ella misma, ofrécele papel higiénico o una toallita para que se limpie, y a continuación, una bolsa para que deposite directamente en ella el papel o las toallitas usadas.

   Si no puede, haz tú la higiene. Si ha defecado, ponte un segundo guante, y retíralo después de dejar el papel o las toallitas en la bolsa de residuos.

6. Ofrécele material para que haga un lavado de manos, si corresponde.

7. Si es necesario, retira o sustituye el empapador.

**Pasos finales**: acomodación, retirada del material, higiene de manos y registro.

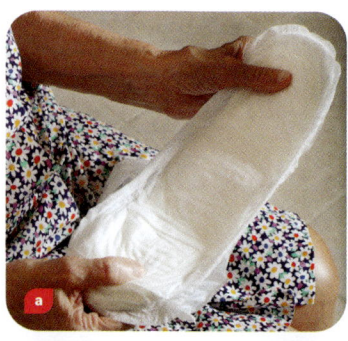

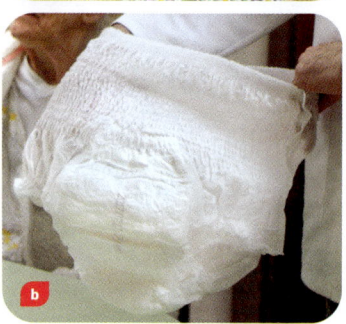

**Fig. 7.3.** Compresas (a) y ropa interior para incontinencia (b).

## ›› Cambios de absorbentes de incontinencia

Cuando la persona tiene incontinencia urinaria, incontinencia fecal o incontinencia doble, se le colocan productos absorbentes para recoger sus eliminaciones. Existen diversos productos que cumplen esta función, como compresas especiales, ropa interior para incontinencia o pañales o absorbentes de incontinencia.

La mayoría de los absorbentes están diseñados para reducir la presión, ya que los pacientes que los necesitan suelen estar en riesgo de sufrir UPP.

Si la persona no tiene problemas de movilidad, podrá quitarse o ponerse las compresas o la ropa interior absorbente, aunque en algunos casos pueda precisar alguna ayuda o supervisión.

En cambio, si la persona tiene una movilidad muy limitada o ciertos trastornos neurológicos, debemos ocuparnos de mantenerla limpia, realizando el cambio de absorbentes cada vez que sea necesario. (PROC. 7.2)

**¡Tenlo en cuenta!**

En el caso de personas conscientes a las que se deben cambiar los absorbentes, la situación puede resultar muy embarazosa para ellas, por lo que debéis actuar con una gran profesionalidad.

---

Procedimiento 7.2.
**Cambio de pañales**

Cambio de absorbentes en personas encamadas

### Materiales

- Empapador
- Palangana con agua tibia
- Esponjas jabonosas desechables
- Toalla o paños de secado
- Pañal
- Gasas o torundas
- Crema hidratante, solución de ácidos grasos hiperoxigenados u otros productos
- Bolsa para residuos

Durante el proceso, **efectuar un cambio de guantes** cada vez que sea necesario.

### Pasos que seguir

**Preparativos**: higiene y protección de manos, acomodación del espacio, comunicación y preparación del paciente.

**Procedimiento**

1. Suelta la zona inferior de la colcha y la sábana encimera y descubre la zona perineal. Coloca un empapador, a no ser que ya haya uno colocado.
2. Desabrocha los cierres, abre el pañal y enrolla la parte delantera del pañal sobre sí mismo, dejando la cara sucia en el interior. Pliégalo hacia un lado.
3. Realiza una higiene perineal, seca bien y aplica crema hidratante, o bien pulveriza ácidos grasos hiperoxigenados.
4. Gira a la persona a decúbito lateral.
5. Retira completamente el pañal sucio, enrollándolo sobre sí mismo. Deposítalo directamente en una bolsa.
6. Lava la zona anal, desde los genitales hacia el ano. Seca e hidrata.
7. Enrolla el empapador hasta la mitad. A su lado, extiende un pañal nuevo.
8. Gira a la persona a decúbito supino, de manera que quede sobre el pañal.
9. Acaba de enrollar el empapador sucio sobre sí mismo, retíralo y deposítalo en la bolsa.
10. Ajusta el pañal y abróchalo.

**Pasos finales**: acomodación, retirada del material, higiene de manos y registro.

## 7.1.2. Excreción a través de bolsas colectoras

Las **bolsas colectoras** son dispositivos médicos utilizados por personas que no pueden realizar la eliminación de orina o heces de manera convencional.

Estas bolsas pueden estar diseñadas para la recolección de orina en personas con *sondaje vesical,* o de heces en personas con *colostomía.*

### ➤➤ El sondaje vesical

El **sondaje vesical** es la introducción de una sonda vesical a través de la uretra hasta llegar a la vejiga urinaria, con el objetivo de drenar la orina. En el extremo de la sonda se acopla una bolsa colectora para recoger la orina.

### ❯ Las sondas

El sondaje se puede aplicar de forma puntual, para realizar el vaciado de la vejiga o tomar una muestra estéril de orina. En estos casos, la sonda se retira tras realizar el procedimiento.

En otros casos es necesario mantener la sonda colocada durante días o semanas, o de forma indefinida. El tipo de sonda más común en estas situaciones es la sonda Foley, que dispone de un pequeño balón en su extremo superior. Una vez colocada la sonda, este balón se llena con suero fisiológico, lo que hace que la sonda se mantenga en su posición y no sea expulsada del cuerpo. Las sondas Foley, por tanto, tienen al menos dos vías: una para la salida de la orina y otra para llenar y vaciar el balón.

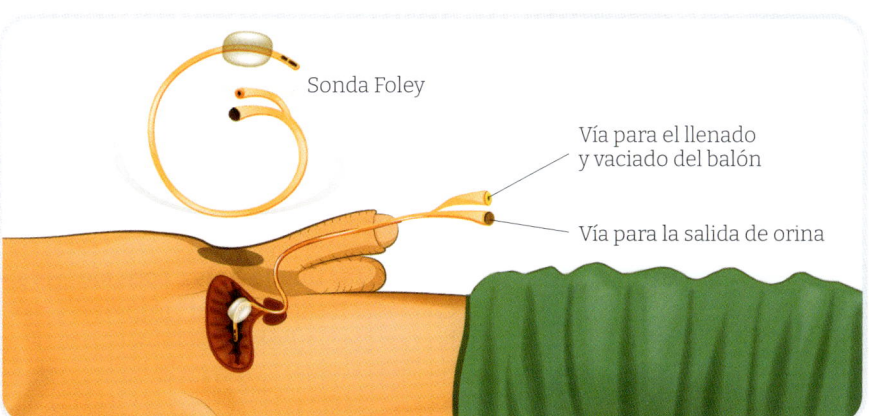

Sonda Foley

Vía para el llenado y vaciado del balón

Vía para la salida de orina

**Fig. 7.4.** Sonda Foley.

### ❯ La bolsa colectora

En el extremo distal de las sondas encontramos una conexión para acoplar una bolsa colectora, que recoge la orina. Para evitar que haya reflujo de orina desde la bolsa hacia las vías urinarias, las bolsas suelen tener un sistema antirreflujo; en cualquier caso, para que la orina fluya adecuadamente, las bolsas deben estar siempre más bajas que la vejiga de la persona.

Cuando las personas están en cama, las bolsas se cuelgan en soportes situados en el lateral de la cama. En el caso de personas que pueden deambular, existen sistemas para sujetar la bolsa al muslo mediante velcro o correas elásticas, que permiten que la persona pueda desplazarse normalmente llevando la bolsa oculta por la ropa.

Sondaje vesical en hombres

Sondaje vesical en mujeres

## > Colocación de una sonda vesical

La colocación de una sonda vesical es un procedimiento que lleva a cabo el personal de enfermería, con la colaboración de personal técnico en cuidados de enfermería. En situaciones de asistencia domiciliaria puede ser necesaria nuestra ayuda, siempre siguiendo las indicaciones que recibamos.

El procedimiento se realiza en tres fases:

**1.** Fase no estéril: preparación del material e higiene perineal.

**2.** Fase estéril: colocación de la sonda.

**3.** Fase no estéril: limpieza y acomodación.

Aunque participemos en fases no estériles, es muy importante realizar una higiene de manos, usar guantes y prestar especial atención en seguir todas las pautas higiénicas, ya que es un procedimiento en que hay riesgo de provocar una ITU.

## > Cuidados generales en un sondaje de larga duración

**Tarea 1**
El sondaje vesical

El sondaje de larga duración conlleva una serie de riesgos, entre los que destacan:

● **Lesión uretral**. Se puede producir cuando la sonda se ha introducido incorrectamente o si se producen movimientos o tracciones accidentales.

● **Infección del tracto urinario**. Puede derivarse de una colocación de la sonda poco aséptica o de un ascenso de microorganismos desde el perineo o la uretra.

Para reducir estos riesgos debemos:

● **Mantener condiciones de asepsia en cualquier manipulación de la sonda**. Realizar una higiene de manos, usar guantes estériles, no dejar los tubos o los tapones sobre ninguna superficie durante el cambio de bolsa, etc.

● **Evitar que el tubo de la sonda se quede pinzado o presionado**, para impedir que se interrumpa el flujo de orina y que esta se acumule en la zona proximal de la sonda.

● **Garantizar que la bolsa esté siempre más baja que la vejiga**, ya que en caso contrario se interrumpiría la salida de orina y el contenido podría fluir desde la bolsa hacia la vejiga. Para evitar la circulación de la orina hacia la vejiga, la mayoría de las bolsas tienen una válvula antirreflujo.

● **Evitar las desconexiones innecesarias de la bolsa**, ya que cada desconexión del sistema facilita la entrada de microorganismos.

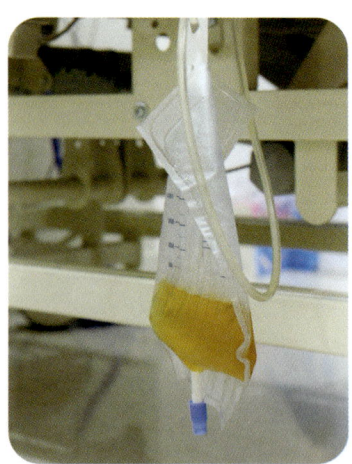
**Fig. 7.5.** La bolsa se coloca en la zona inferior de la cama, para que quede más baja que la vejiga.

## > El aseo de personas con sonda vesical

El aseo de personas con sonda vesical incluye dos procedimientos básicos: la higiene perineal y el lavado de la sonda. (Proc. 7.3)

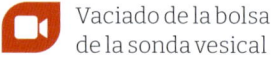
Vaciado de la bolsa de la sonda vesical

**Tarea 2**
El vaciado de la bolsa

## > El cambio o vaciado de la bolsa

Las bolsas tienen un tubo con una conexión en su extremo, a la cual se acopla la sonda. La separación del tubo y la sonda solo debe hacerse cuando se necesite cambiar la bolsa, ya que es una posible vía de entrada directa de microorganismos a la vejiga.

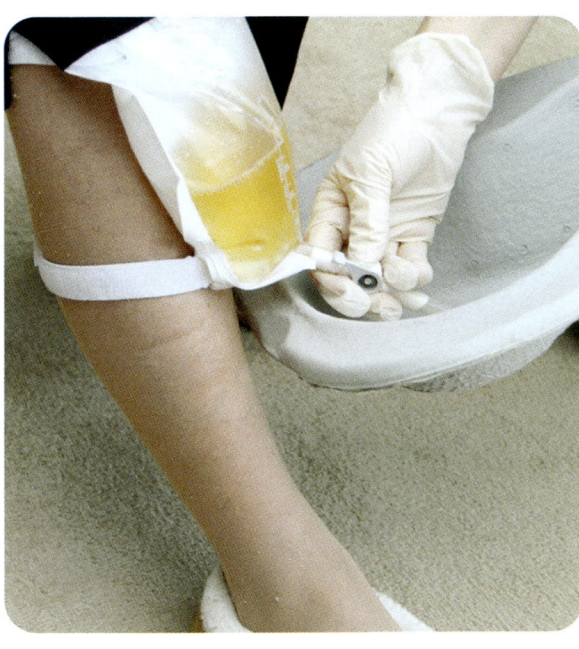

Los cuidados necesarios dependen del tipo de bolsa:

- **Desechables**. Cuando alcanzan el nivel establecido se sustituyen y la bolsa con orina se desecha. Tienen la ventaja de que no requieren lavado, pero la desventaja de que obligan a conectar y desconectar la sonda con frecuencia.

- **De circuito cerrado**. Disponen de una llave de paso en la zona inferior. Para vaciarlas se abre la llave y se recoge la orina en un recipiente adecuado.

  Estas bolsas se cambian generalmente una vez al mes. En todo caso, si la bolsa huele mal o parece sucia se debe cambiar aunque no haya transcurrido el tiempo previsto.

 **Tarea 3** La higiene de la sonda

**Fig. 7.6.** Vaciado de una bolsa de circuito cerrado.

---

Procedimiento 7.3.
## Aseo de personas con sonda vesical

 Lavado de la sonda vesical femenina

### Materiales

- Guantes estériles y no estériles
- Batea o recipiente estéril
- Paño estéril
- Empapador
- Gasas estériles
- Solución antiséptica
- Jeringa estéril
- Solución estéril
- Suero fisiológico
- Pinza

### Pasos que seguir

**Preparativos**

- Higiene de manos y colocación de guantes.
- Preparación de los materiales.
- Apartar la ropa de cama, colocar un empapador, desnudar a la persona de cintura para abajo y ayudarla a colocarse en posición ginecológica.
- Verificar que la sonda vesical está correctamente posicionada y segura antes de comenzar la higiene.

**Procedimiento**

1. Realiza un lavado perineal (PROC. 6.3 y PROC. 6.4).
2. Limpia el punto de conexión de la sonda y la bolsa con una gasa con antiséptico.
3. Quítate los guantes, realiza un higiene de manos y ponte unos guantes estériles.
4. Coloca el paño estéril bajo el punto de conexión de la sonda y la bolsa.
5. Carga la jeringa con 30 a 50 cm³ de suero fisiológico estéril.
6. Pinza la sonda con las pinzas y desconecta la bolsa.
7. Conecta la jeringa a la sonda, suelta la pinza e introduce lentamente el suero hasta completar unos 100 cm³ en dos o tres veces.
8. Retira la jeringa y deja fluir el líquido por gravedad sobre la batea. Si hay obstrucción, aspira suavemente con la jeringa. Si es necesario repite el proceso.
9. Pinza la sonda y limpia su extremo distal.
10. Conecta la sonda a la bolsa colectora y despinza.

**Pasos finales**: acomodación, retirada del material, higiene de manos y registro.

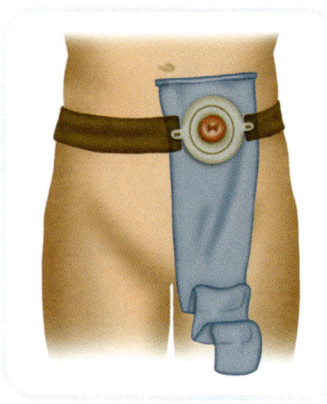

**Fig. 7.7.** Bolsa de colostomía.

## ›› La colostomía

> La **colostomía** es un procedimiento quirúrgico en el que se practica una abertura (estoma) en la pared abdominal, por la que se saca un extremo del intestino grueso.

Tras este procedimiento, las heces salen por el estoma y se recogen en una bolsa colectora (bolsa de colostomía), que va adherida al abdomen. La colostomía puede ser temporal o permanente.

La bolsa de colostomía va adherida a la piel. Esto implica que tanto el estoma como la piel que lo rodea deben recibir cuidados específicos y una observación cuidadosa para detectar rápidamente cualquier alteración.

### › Dispositivos de colostomía

Existen dos modelos básicos de bolsas de colostomía:

- **Bolsas cerradas**, que se sustituyen cuando se llenan. Estas bolsas constan de dos elementos: la bolsa y un disco adhesivo, que se adhiere a la piel y al cual se acopla la bolsa. Este sistema permite cambiar la bolsa sin tener que despegar y pegar cada vez el adhesivo del disco. El cambio del disco adhesivo se suele realizar cada cuatro días.

- **Bolsas abiertas**, que se pueden vaciar mediante un sistema de cierre hermético que tienen en su parte inferior. En este caso suele tratarse de bolsas de una sola pieza, con el disco adhesivo unido a la bolsa.

Existe además un elemento que facilita la autonomía de la persona: los tapones obturadores. Estos tapones sirven para ocluir el estoma hasta el momento de colocarle una bolsa. El extremo del tapón que se introduce en el estoma va lubricado y por los lados tiene una sustancia adhesiva que lo une a la piel del estoma.

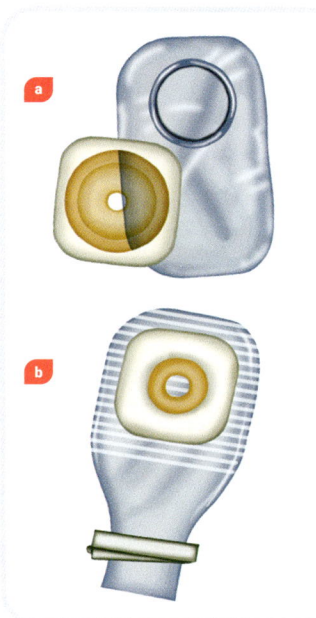

**Fig. 7.8.** Bolsa cerrada (a) y bolsa abierta (b).

### › Cuidados generales

La colostomía entrará en contacto con las heces, por lo cual debemos prestar atención a su cuidado para evitar infecciones. También debemos cuidar la zona en que se adhiere el disco, ya que puede sufrir irritaciones.

Otra precaución importante es evitar que quede demasiada zona de piel entre el adhesivo y el estoma, ya que de lo contrario la materia fecal entrará en contacto con ella y se podrá acumular en la zona. Para conseguirlo, se mide el estoma y se recorta el disco adhesivo de forma que solo queden 3-5 mm de piel entre el adhesivo y el estoma.

Para el cuidado de toda la zona son muy útiles las cremas barrera. Otro producto útil son las pastas niveladoras, que permiten rellenar irregularidades y pliegues cutáneos que puedan dificultar la correcta fijación de la base, con el fin de evitar fugas.

### › El vaciado de una bolsa abierta de colostomía

En cualquier manipulación debemos adoptar las máximas precauciones higiénicas para evitar el contacto de las heces con la piel, especialmente si hay heridas o úlceras.

En general, las bolsas abiertas se vacían cuando el contenido supera la mitad de su capacidad (PROC. 7.4).

> **¡Tenlo en cuenta!**
>
> Algunas personas a las que se ha practicado una colostomía pueden notar una sensación de necesitar defecar por el recto, que desaparece cuando se sienta en el inodoro. Esta situación se denomina síndrome del recto fantasma y desaparece con el tiempo.

Procedimiento 7.4.
## El vaciado de una bolsa abierta de colostomía

### Materiales

- Guantes
- Recipiente de recogida
- Protector de cama
- Bolsa para residuos

### Pasos que seguir

**Preparativos**: higiene de manos y colocación de guantes, preparación de los materiales, del espacio y de la persona.

**Procedimiento**

1. Coloca un protector debajo de la bolsa.
2. Prepara el recipiente de recogida, abre la llave de paso de la bolsa y vierte el contenido de la bolsa en el recipiente.
3. Desecha el recipiente y el protector en una bolsa de plástico.
4. Cierra la llave de paso. Si te has ensuciado, realiza una higiene de manos y ponte guantes limpios antes de hacerlo.
5. Si se ha ensuciado alguna zona del cuerpo de la persona, lávala. Y si se ha ensuciado la cama, cambia las sábanas.

**Pasos finales**: acomodación, retirada del material, higiene de manos y registro.

## ❭ El cambio de bolsa cerrada o de la base de una bolsa abierta

En general, las bolsas cerradas se cambian cada día, o cuando su contenido supera la mitad de su capacidad. El disco adhesivo de las bolsas abiertas se suele cambiar aproximadamente cada cuatro días. (Proc. 7.5)

Las personas no dependientes realizan este procedimiento por sí mismas. Si la persona a la que atendemos no puede hacerlo, es importante ir explicándole qué hacemos y con qué objetivo, y qué precauciones adoptamos.

Procedimiento 7.5.
## Cambio de bolsa cerrada o de la base de una bolsa abierta

Bolsa de ostomía: cómo cambiarla

### Materiales

- Guantes
- Gasas
- Suero fisiológico
- Disco adhesivo
- Bolsa para residuos

### Pasos que seguir

**Preparativos**: higiene de manos y colocación de guantes, preparación de los materiales, del espacio y de la persona.

**Procedimiento**

1. Despega la base despacio y de arriba hacia abajo, mientras sujetas la piel circundante al estoma. Desecha la base.
2. Retira los restos de heces del estoma usando gasas humedecidas en suero fisiológico. A continuación, limpia el estoma y la piel circundante con movimientos circulares, también con gasas y suero.
3. Seca bien toda la zona, al tiempo que observas el estoma y la piel circundante por si hay complicaciones.
4. Prepara la nueva base. Mide el estoma y luego cúbrelo con una gasa. Recorta el disco adhesivo o selecciona la medida adecuada, teniendo en cuenta que entre la bolsa y el estoma deben haber 3-5 mm de piel.
5. Coloca la base y la bolsa. Retira el papel adhesivo del disco y la gasa que cubría el estoma, y coloca cuidadosamente el disco, enganchando de abajo hacia arriba. Si la bolsa va por separado, acóplala una vez colocado el disco.

**Pasos finales**: acomodación del paciente, retirada del material y registro.

**Actividades**

Círculos de punto de vista | Diagrama de flujo | Infografía | Mapa de comparación y contraste | Diagrama de flujo lineal

1. Realiza la rutina **círculos de punto de vista** y completa la tabla siguiente en tu cuaderno.

| Estoy pensando acerca de **las dificultades para excretar** desde el punto de vista de **una persona afectada**. | |
| --- | --- |
| Pienso y siento que... | ---------- |
| Las preguntas que tengo desde este punto de vista son... | ---------- |

2. Practicad por parejas los movimientos básicos de colocación y retirada del orinal de cama. Tened presente la preparación del material y la comunicación con la persona en situación de dependencia.

3. Elaborad un **diagrama de flujo** con los pasos que sigue el cambio de pañales en una persona encamada.

4. Tienes que ayudar a una persona con incontinencia fecal a cambiarle el absorbente, pero muestra resistencias por vergüenza. ¿Cómo gestionarías la situación? En parejas, haced un *role playing* para escenificar la situación. Una va a hacer de persona con incontinencia y otra de técnico/a en APSD.

5. Busca información sobre los distintos tipos de absorbentes de incontinencia. Elabora un breve informe con imágenes ilustrativas e información básica de los productos.

6. Elabora una **infografía** que explique visualmente los cuidados generales que hay que aplicar en todos los procedimientos con personas con sonda vesical.

7. Realiza un **mapa de comparación y contraste** para explicar las diferencias entre las bolsas desechables y las bolsas de circuito cerrado para el sondaje vesical.

8. Estudiad todos los dispositivos de recogida para personas ostomizadas (bolsas, tapones, cremas...) que tengáis en el aula de prácticas. Explicad para qué se utilizan y cómo se colocan o utilizan.

9. Explica qué diferencia hay entre un dispositivo de ostomía de recogida de una pieza y uno de dos piezas. Después, elabora un **diagrama de flujo lineal** que ilustre los procedimientos de vaciado y cambio de bolsas de cada caso.

##  7.2. Las muestras biológicas

La recogida y estudio de *muestras biológicas* es un procedimiento habitual para establecer el diagnóstico o para hacer el seguimiento de la evolución de la enfermedad.

La gestión de muestras clínicas

> Una **muestra biológica** es material excretado por el organismo o extraído de él que se recoge para analizarlo.

Las muestras más comunes son las de sangre y orina, aunque hay muchas otras: heces, exudados, descamaciones de la piel, esputo, semen, líquido cefalorraquídeo, etc.

También los procedimientos de recogida son muy diversos. Algunas muestras, como las de orina, las puede tomar la propia persona, mientras que otras las toma personal sanitario mediante impregnación, rascado, punción, etc., o incluso mediante endoscopia o por procedimientos quirúrgicos.

**¡Tenlo en cuenta!**

Las muestras biológicas se deben manipular con especial precaución, ya que pueden ser una fuente de infecciones o, por otra parte, pueden contaminarse o alterarse, lo cual provocaría que los resultados de los análisis fueran erróneos.

## 7.2.1. El papel del personal técnico en APSD

La toma de muestras biológicas no es una función del personal técnico en atención a personas en situación de dependencia.

A pesar de ello, sus tareas incluyen en algunos casos un cierto grado de participación, que se centra en ayudar a la persona en situación de dependencia a realizar actividades que, si pudiera, realizaría por sí misma.

Por ejemplo, prepararle una dieta concreta los días previos a la toma de muestras, tomar una muestra de orina, acompañar y asistir a la persona durante la obtención de una muestra, o ayudarla con los trámites administrativos.

### ≫ Muestras de orina

Hay muestras que las personas que no se encuentran en situación de discapacidad recogen por sí mismas, como las de orina. Especialmente en la asistencia domiciliaria, el personal técnico en APSD puede ayudar a la persona a obtenerlas.

Los recipientes en que se recogen las muestras de orina son estériles, de boca ancha y con tapa de rosca. Se presentan cerrados en una bolsa de plástico que los protege de contaminaciones.

En la hoja de extracciones se detallarán las instrucciones concretas, que se deben seguir escrupulosamente. Generalmente no es necesario seguir ninguna dieta preparatoria.

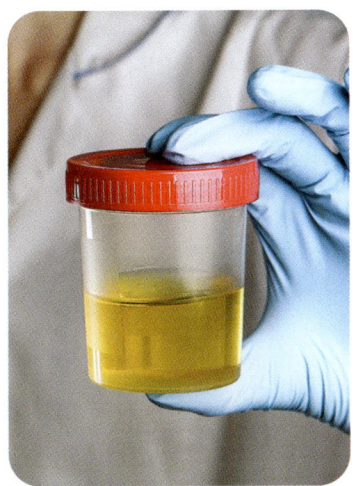

**Fig. 7.9.** Recipiente para muestras de orina.

### › Recogida de orina en personas con control de la micción que se pueden levantar

Cuando la persona se puede levantar, la recogida de la muestra puede llevarla a cabo ella misma. En este caso, es necesario facilitarle el recipiente y explicarle cómo debe proceder:

● Antes de empezar debe realizarse una higiene de manos y de la zona perineal, con un secado correcto.

● Seguidamente empieza a orinar y desecha la primera orina. A continuación, llena el envase. Durante todo el procedimiento no debe tocar en ningún momento el borde ni la zona interior del bote, ni la zona interior del tapón.

● Al terminar coloca el tapón y deja el envase en su bolsa.

La muestra se debe entregar lo antes posible. Si el análisis no se va a realizar antes de dos horas, se puede refrigerar, aunque esta medida puede producir alteraciones en la muestra, por lo que no debemos aplicarla si no hemos recibido instrucciones específicas sobre ello.

### › Recogida de orina en personas encamadas con control de la micción

El procedimiento básico es el mismo que en el caso anterior, pero la recogida se hace en la cama. (Proc. 7.6)

**¡Tenlo en cuenta!**

Aunque vayamos a hacer la recogida de la muestra de orina en la cama, es importante fomentar que la persona haga por sí misma todas las acciones que pueda. Y también lo es velar por preservar su intimidad en la medida de lo posible.

Procedimiento 7.6.
### Recogida de orina en personas encamadas con control de la micción

| Materiales | Pasos que seguir |
|---|---|
| | **Preparativos** |

**Materiales**

- Gel hidroalcohólico
- Guantes
- Material para la higiene perineal
- Empapador
- Cuña
- Recipiente para muestras y la etiqueta o sistema de identificación que corresponda
- Batea

**Pasos que seguir**

**Preparativos**

Si la persona puede tomar la muestra por sí misma o participar en alguna fase, pídele que realice una higiene de manos.

**Procedimiento**

1. Realiza una higiene perineal o indica a la persona cómo puede realizarla ella misma. Coloca un empapador y una cuña bajo la persona.

2. Abre el recipiente y mantén el tapón en una mano o deposítalo boca arriba en la batea. Con la otra mano, sujeta el recipiente y pide a la persona que empiece a orinar. Desecha la primera orina en la cuña y recoge el resto hasta llenar el recipiente. Debes colocar el recipiente de forma que no tenga contacto con la piel ni con la ropa.

3. Sin soltarlo, cierra bien el recipiente y deposítalo en la batea que usarás para transportarlo. Retira la cuña y realiza una higiene perineal si es necesaria.

**Pasos finales**

4. Recoge el material, deposita los residuos en las bolsas o contenedores adecuados, retírate los guantes y realiza una higiene de manos.

5. Coloca la cama a una altura adecuada y acomoda a la persona.

6. Lleva la muestra a la zona de entrega que corresponda. Registra el procedimiento y anota cualquier incidencia u observación destacable.

## 7.2.2. La observación de las eliminaciones

Aunque no esté planificada una toma de muestras, es importante observar las características físicas de las eliminaciones: color, textura, olor, etc. Una alteración en características puede ser indicativa de distintos trastornos, por lo que se debe registrar y comunicar al personal sanitario.

### ›› La orina

En condiciones normales la orina es de color amarillento transparente. Algunas alteraciones que se pueden observar son:

| Aspecto | Posibles causas |
|---|---|
| **Casi transparente, de olor débil** | Muy diluida. Abundante ingesta de líquidos, diabetes, fármacos diuréticos. |
| **Anaranjada de olor intenso** | Muy concentrada: sudoración copiosa, poca ingesta de líquidos, deshidratación. |
| **Turbia** | Presencia de materia orgánica, arenilla o pus. Posiblemente por una infección urinaria. |
| **Color rojo** | Hematuria, hemoglobinuria o mioglobinuria. También se puede deber a la ingestión de determinados alimentos (zanahorias, remolacha, etc.) o fármacos. |
| **Color oscuro** | Presencia de sales biliares: bilirrubina, urobilinógeno, etc. |
| **Lechosa** | Presencia abundante de grasas. |

### ›› Heces

Algunas características físicas de las heces pueden variar en función de los alimentos consumidos; a pesar de ello, hay algunas que son indicativas de que existe algún trastorno.

- **Consistencia**. Las heces normales son más o menos blandas. En la diarrea serán demasiado líquidas y en el estreñimiento demasiado sólidas.

- **Color**. Son marrones en las personas adultas, aunque este es uno de los factores que puede variar más en función de la dieta. Algunas alteraciones de origen patológico son:

  - Heces muy pálidas: se pueden deber a obstrucciones biliares o a algunas hepatitis.

  - Heces negras y brillantes, pegajosas y con olor característico: se suele deber a un sangrado en el esófago, en el estómago o en el duodeno.

  - Heces con sangre roja: se produce cuando hay un sangrado en el yeyuno, en el íleon o en el intestino grueso.

- **Aspecto**. Algunas sustancias pueden resultar visibles en las heces o cambiar su aspecto general, delatando así su presencia. Por ejemplo, se puede detectar la presencia de moco o pus en algunas infecciones, u observar un aspecto jabonoso cuando hay demasiada grasa a causa de una enfermedad pancreática.

## >> El esputo

El esputo es una secreción viscosa y elástica, que puede modificarse en algunas patologías. Una característica fácilmente observable es el color:

| Color | Posibles causas |
|---|---|
| **Transparente o blanquecino** | Suele significar que no hay enfermedad, pero una cantidad abundante puede indicar una enfermedad pulmonar. |
| **Amarillo oscuro o verde** | Suele significar que hay una infección bacteriana, como una neumonía. El esputo verde amarillento también es común en las personas con fibrosis quística. |
| **Rosado** | Puede ser signo de un edema pulmonar, una acumulación excesiva de líquido en los pulmones. |
| **Rojo** | Puede ser un signo temprano de cáncer de pulmón. |

## >> El vómito

El vómito es una manifestación de algún trastorno y en todos los casos se debe registrar y comunicar. Para proporcionar el máximo de información al personal sanitario es importante observar:

- **Características físicas**: contenido bilioso, sangre fresca, partículas tipo poso de café, alimentos sin digerir, etc.

- **Cantidad**: si es abundante o no.

- **Frecuencia y momento**: si es un vómito puntual, si se repite, si ocurre después de comer, etc.

También se debe tener en cuenta que los vómitos pueden causar deshidratación, por lo que se prestará atención por si se observan signos de esta: aumento de la sed, micción poco frecuente, orina oscura, ojos hundidos, sequedad de boca, pérdida de elasticidad de la piel, etc.

**¡Tenlo en cuenta!**

Cualquier alteración que observemos en las eliminaciones de la persona a la que atendemos debemos registrarla y además comunicarla al personal sanitario mediante el procedimiento que esté establecido.

## Actividades

Diagrama de flujo lineal     Relacionar, ampliar, preguntar

**10.** El personal técnico en APSD, ¿puede recoger muestras biológicas?, ¿en qué casos lo hace?

**11.** Se necesita una muestra de orina de una persona ingresada que se puede levantar. Le llevas el frasco y le explicas cómo debe tomar la muestra. Elabora un **diagrama de flujo lineal** que muestre los pasos que debe seguir y las precauciones que debe adoptar en cada uno de ellos.

**12.** Aplica la rutina **Relacionar, ampliar, preguntar** a la observación de las eliminaciones.

- ¿Cómo se relaciona la observación de eliminaciones con la atención a la persona en situación de dependencia?
- ¿Qué preguntas te surgen y cómo podrías obtener información para resolverlas?
- ¿Qué dudas sigues teniendo en relación con este tema?

En grupos de tres o cuatro, poned en común vuestras dudas e intentad resolverlas.

 ## 7.3. La muerte y los cuidados *post mortem*

En ocasiones, como consecuencia de alguna enfermedad o del propio envejecimiento, las personas a las que atendemos fallecen. En esta situación es necesario prestarles cuidados *post mortem*.

### 7.3.1. La muerte

El fallecimiento puede ser repentino, pero a menudo es la fase final de una enfermedad terminal.

#### ≫ Los cuidados paliativos

> Los cuidados que se prestan desde que se diagnostica que la persona se encuentra en estado terminal hasta que fallece se denominan **cuidados paliativos**.

Los cuidados paliativos en personas con enfermedad terminal están encaminados a conseguir que la persona tenga una muerte digna, lo más libre posible de sufrimientos, es decir, con el mayor nivel de bienestar posible. En relación con los cuidados higiénicos:

- Restringimos las actividades de cuidado que inquieten o molesten a la persona enferma o que puedan resultarle dolorosas.
- Es preferible utilizar pañales.
- Humedecemos la boca con regularidad para mantener la mucosa húmeda.

#### ≫ La agonía

> La **agonía** es la situación que precede a la muerte cuando esta se produce de forma gradual.

La agonía ocupa aproximadamente la última hora de la vida, cuando las funciones vegetativas e intelectuales se van apagando. En esta fase ya no se proporcionan más tratamientos que los destinados a aliviar el dolor y los cuidados deben ser los mínimos.

. . . . .

**¡Tenlo en cuenta!**

La planificación y ejecución de cuidados paliativos implica un equipo multidisciplinario integrado por personal médico, de enfermería, de asistencia social y de psicología.

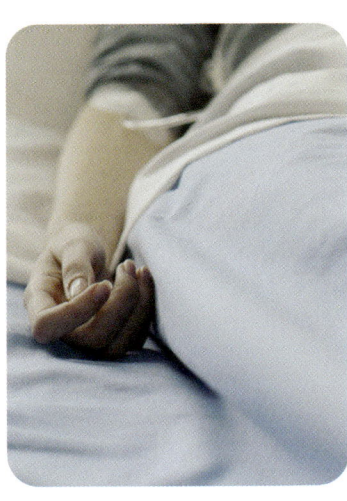

**Fig. 7.10.** La muerte se observa por la pérdida de los signos vitales. Su certificación debe realizarla personal médico.

## » La muerte

> La **muerte** supone el cese total y definitivo de las funciones vitales del organismo.

El cese de las funciones vitales se identifica con la pérdida de los signos vitales. Se pierden la respiración, el pulso, la tensión arterial y la función nerviosa.

### › La certificación

Aunque hay signos de muerte que permiten asegurar que una persona ha fallecido, es necesario que sea personal médico el que certifique y oficialice la muerte. Hasta que esta certificación no se produzca no se debe manipular el cuerpo ni iniciar los cuidados.

### › Cambios *post mortem*

Tras la muerte van apareciendo en poco tiempo los signos derivados de los **cambios *post mortem***:

- **Enfriamiento cadavérico**. La temperatura corporal se va reduciendo de forma gradual. Se empieza a notar hacia las dos horas en los pies, las manos y la cara.

- **Rigidez cadavérica**. El primer cambio del tono muscular, inmediatamente después de la muerte, es un estado de flacidez y relajamiento de todos los músculos del cuerpo. Pero sobre dos horas más tarde comienza un proceso de contractura muscular que lleva a la rigidez.

- **Livideces cadavéricas**. Son manchas cutáneas extensas de color rojo violáceo, producidas por el depósito de sangre en las zonas del cuerpo que están a un nivel más bajo. Empiezan a aparecer en la primera hora después de la muerte.

## 7.3.2. Los cuidados *post mortem*

Los cuidados *post mortem*

> Los **cuidados *post mortem*** son el conjunto de atenciones que se prestan al cuerpo de la persona finada antes de trasladarlo, con el objetivo de dejarlo en disposición normal, aseado y lo más estético posible.

### » Realización de los cuidados *post mortem*

Realizad el procedimiento entre dos personas. Comenzad por los siguientes pasos previos:

- Seleccionad los materiales necesarios y llevadlos junto a la cama.

- Ajustad la altura de la cama y ponedla en posición horizontal.

- Cerrad la puerta, corred la cortina y/o colocad biombos para preservar la intimidad.

- Colocaos bata desechable, guantes, gorro y mascarilla.

- Confirmad la identidad mediante la pulsera, que no debéis retirar. Debe coincidir con los datos de las etiquetas identificativas para el sudario y la bolsa de objetos personales.

Después ya podéis iniciar el procedimiento. (PROC. 7.7)

Procedimiento 7.7.
## Realización de los cuidados *post mortem*

### Materiales

- Carro de curas
- Materiales para la higiene corporal
- Aerosol de película plástica
- Sábana y sudario
- Bolsa para objetos personales
- Etiquetas para el sudario y la bolsa

### Pasos que seguir

1. Colocad el cuerpo en decúbito supino, con los brazos a lo largo del cuerpo y los tobillos juntos.
2. Retirad sondas, vías, drenajes, mascarillas o cualquier otro dispositivo sanitario y poned apósitos sobre las heridas. Aspirad secreciones si es necesario. En caso de salida de líquidos por orificios corporales, taponad los orificios con algodón.
3. Lavad y secad el cuerpo con esponjas desechables.
4. Colocadle la dentadura postiza o alguna prótesis, si es posible hacerlo.
5. Sellad la boca con aerosol de película plástica, para evitar que quede abierta.
6. Envolved el cuerpo en una sábana e introducidlo en el sudario. Poned la correspondiente etiqueta identificativa en el sudario.
7. Recoged los objetos personales y depositadlos en una bolsa, que también llevará etiqueta identificativa. Avisad para que recojan el cuerpo.

### Pasos finales

8. Recoged el material, depositad los residuos en las bolsas o contenedores adecuados.
9. Retiraos los guantes, la bata y la mascarilla y realizad una higiene de manos.
10. Llevad la bolsa de objetos personales al lugar de entrega establecido.
11. Registrad el procedimiento y anotad cualquier incidencia.

## ›› Después de la retirada del cuerpo

Seguidamente se deberá preparar la habitación para su limpieza:

- Todo el material desechable usado se deposita en una bolsa.
- Si hay material punzante o cortante, se deposita en un contenedor para estos residuos.
- La lencería de la cama y las toallas se depositan en la bolsa de la lavandería.
- El material reutilizable se dispone en las cajas o contenedores que corresponda para su tratamiento.

Una vez retirados los materiales sucios y los desechos, se registra el procedimiento. A partir de este momento, el equipo de limpieza ya puede limpiar y desinfectar la habitación y el baño.

Documento 7.1.
### El duelo

Las personas más cercanas a la que ha fallecido quedarán en los primeros momentos en un estado de *shock* que se caracteriza por la perplejidad y un sentimiento intenso de pena y dolor. Desde entonces y durante un tiempo variable (generalmente entre 6 y 12 meses) vivirán un proceso de duelo, en el cual seguirán cinco fases: negación, ira, negociación, depresión y aceptación.

## Actividades

Diagrama de flujo lineal

**13.** Entras a la habitación de una persona con una enfermedad terminal y encuentras a su hija alterada. Te dice que su madre acaba de morir. ¿Qué deberás hacer y qué no?

**14.** Indica cuáles son los signos que indican que una persona ha muerto y cómo evolucionan hacia los cambios *post mortem*.

**15.** Elabora un **diagrama de flujo lineal** con el proceso que siguen los cuidados *post mortem*.

**RETO 7.1**
**La higiene de una sonda vesical**

**Tarea final:** Preparar un folleto con consejos para el cuidado de la sonda y la bolsa.

## ¿Qué sabes ahora de...?

Reflexiona y valora tus conocimientos respecto a cada una de las siguientes cuestiones:

- ¿Sabes cómo ayudar a una persona encamada a orinar y defecar?
- ¿Sabes para qué sirven las bolsas colectoras?
- ¿Sabes qué es un estoma?
- ¿Sabes cómo recoger una muestra de orina de una persona encamada?
- ¿Sabes qué cuidados debes prestar al cuerpo tras la muerte de una persona?

 Ni idea

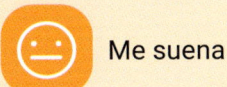 Me suena

 Lo conozco

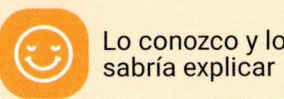 Lo conozco y lo sabría explicar